D1632027

LIVING ITALIAN

LIVING ITALIAN

MARIA VALGIMIGLI

Formerly Lecturer in Italian,
College of Commerce, Manchester

UNIVERSITY OF LONDON PRESS LTD

Tape-recordings of *Living Italian* are available from
Tutor-Tape Company Ltd, 258 Wimbledon Park Road,
London SW19

SBN 340 08888 5

First published 1960
Second edition: sixth impression (reset) 1968
Copyright © 1961 Maria Valgimigli

University of London Press Ltd
St Paul's House, Warwick Lane, London EC4

Printed and bound in Great Britain by
Butler & Tanner Ltd, Frome and London

PREFACE

THIS Italian course is intended for students who are studying privately or attending Evening Classes. It is divided into three Sections, from Lessons I to X, XI to XX and XXI to XXX. At the end of each Section there are extra exercises in the form of a short test, which enable students to revise the work studied so far.

As it is important that students should acquire from the beginning an extensive vocabulary of everyday use, the Conversational Exercises at the end of each lesson should be carefully studied and put into practice. In all the Sections, it is recommended that Exercises A and B be done during the lesson, orally or in writing. Exercises C and D should be given as written homework and Exercise E as *preparation* for the following week. A short dictation of words or phrases from the lessons should be given by the teacher each week from the second lesson onwards, to enable the student to hear spoken Italian. From Lesson XI onwards, unseen dictations should be given, to prepare for the first examinations.

Once the student has mastered the first five lessons, Alphabet Games (*giochi dell'alfabeto*) such as the ones which appear at the end of Lessons VI and XII could serve as a revision of vocabulary.

In Sections II and III, in addition to the Grammar Rules, each lesson contains a list of words pertaining to Travel. Lessons XVII to XXIX take the student on a "Journey to Italy" and a little is mentioned about the places visited. With this extra vocabulary, students will have an opportunity to practise the conversation which is so essential in the study of a language.

It is hoped that when students have completed the course they will have acquired a love of the Italian language and will have been encouraged to continue with their study of Italy and her language.

M.V.

CONTENTS

SECTION TWO

SECTION THREE

INTRODUCTION

THE ALPHABET

The Italian alphabet consists of only 21 letters, which are as follows:

LETTER	PRONUNCIATION	LETTER	PRONUNCIATION
a	as *a* in c*a*r	n	ennay
b	bee	o	as *o* in n*o*t
c	chee	p	pee
d	dee	q	coo
e	ay	r	erray
f	effay	s	essay
g	dgee	t	tee
h	acca	u	oo
i	ee	v	voo
l	ellay	z	dzayta
m	emmay		

The letters **j** (i lunga), **k** (cappa), **w** (doppio voo), **x** (icks), **y** (ipsilon), do not figure in the Italian alphabet; they are, however, used for the spelling of foreign words.[1]

y has been replaced by *i*:

    e.g. gi*o*ia   *joy*   ra*i*on   *rayon*

k is generally replaced by *ch*:

    e.g. chilogramma   *kilogramme*

The Greek combination *ph* has been replaced by *f*:

    e.g. alfabeto   *alphabet*   fotografia   *photograph, photography*

---

[1] *x* is also found in expressions such as *ex-presidente*, ex-president, *ex-cancelliere*, ex-chancellor, etc.

PRONUNCIATION

Vowels

a is pronounced *approximately* like a in *car*:
    e.g. sala *room*   caro *dear*

e has two sounds:
    (1) like e in *bell* (known as the open e).
        e.g. bello *beautiful*   lento *slow*
    (2) like a in *late* (known as the close e).
        e.g. seta *silk*   meno *less*   pineta *pine grove*

i is pronounced like i in *marine*:
    e.g. finire *to finish*   primo *first*

o has two sounds:
    (1) like o in *not* (known as the open o).
        e.g. notte *night*   opera *opera, work*
    (2) like o in *note* (known as the close o).
        e.g. nome *name*   ora *hour*

u is always pronounced like oo in *moon*:
    e.g. uno *one*   musica *music*

Consonants

Of the sixteen consonants the following ten are pronounced approximately as in English: **b, d, f, l, m, n, p, q, t,** and **v.**

c has two sounds:
    (1) like c in *can*, when followed by a, o, u, or by any consonant, including h.

e.g.	cane	*dog*	che	*what, that*
	con	*with*	chi	*who, whom*
	cura	*care, attention*	crudo	*raw*

    (2) like ch in *chop*, when followed by e or i.

	e.g. cena	*supper*	cima	*top, summit*

cc before *e* or *i* is pronounced like *tch* in *match*:

    e.g. faccia   *face*

g has two sounds:

  (1) like *g* in *go* when followed by *a, o, u,* or by any consonant, including *h.*

      e.g. galante   *gallant*   grande   *big, great*
           gola   *throat*   ghirlanda *garland*
           gufo   *owl*

  (2) like *g* in *ginger,* when followed by *e* or *i.*

      e.g. gentile   *kind*   giardino   *garden*

gg before *e* or *i* is pronounced like *dg* in *edge*:

    e.g. oggi   *today*

h is always silent. Initial *h* is found only in:

        ho   *I have*
        hai   *you have* (familiar form)
        ha   *he, she has*
        hanno   *they have*

and in a few foreign words.

The letter *h* prevents confusion between these four forms of the verb *avere* (to have) and *o* (or), *ai* (to the), *a* (to, at), *anno* (year).

h is also found in a few exclamations:

e.g. ah! ahi! ahimè!   *oh! ah! alas!*

q is always followed by *u* and has the same sound as *qu* in *quick*:

    e.g. quanto   *how much*   qui   *here*
         questo   *this*   quota *share, quota*

r *or* **rr** is trilled in Italian:

    e.g. carne   *meat*   carro   *cart*

s has two sounds:

  (1) like *s* in *sad,* when beginning a word before any vowel.

      e.g. sala   *hall*   sito   *site*
           sette   *seven*   sole   *sun*

Also in compound words:

e.g. ventisei   *twenty-six*   trentasette   *thirty-seven*

or when doubled:

e.g. basso   *low*   permesso   *permission*

or before the consonants *c*, *f*, *p*, *q*, and *t*:

e.g. studio   *study*   squadra   *team, group*
     spuntino   *snack, light refreshment*

(2) but when intervocalic it *usually* sounds like *s* in *rose*:

e.g. rosa   *rose*   vaso   *vase*

and similarly when the noun ends in *ione*:

e.g. divisione *division*   confusione   *confusion*

and it is similarly pronounced before *b, d, g, l, m, n, r, v.*

z *or* **zz** also has two sounds:

(1) like *ts* in *bits*.

e.g. grazie   *thanks,*   terrazza   *terrace*
               thank you

(2) like *ds* in *adds*.

e.g. pranzo   *dinner*   mezzo   *half*

The following combined letters are of great importance:

ch like *ch* in chemist⎱
gh like *g* in *gun*   ⎰can only be followed by *e* or *i*:

e.g. cherubino   *cherub*   chiave   *key*
     Margherita   *Margaret*   laghi   *lakes*

gli has a similar sound to *lli* in *million*:

e.g. luglio   *July*   Ventimiglia

except in a very few words where it has the same sound as in English:

e.g. Anglicano   *Anglican*   glicine   *wistaria*
     negligere   *to neglect*

gn has a similar sound to *ni* in *union* or *gn* in *mignonette*:

e.g. ogni   *each, every*   signora   *madam, lady*

gu before a vowel is always pronounced like *gw* in *Gwendoline*:

e.g. lingua   *language, tongue*   guida   *guide*

sc before *e* or *i* is pronounced like *sh* in *ship*:

    e.g. scendere   *to go down, descend*
         uscire   *to go out*

but before *a, o, u,* and *h* it has a hard sound like *sk*:

    e.g. scala   *staircase*   scopo   *aim, purpose*
         scuro   *dark*   scherzo   *joke*

It will be noticed that the Italian language has no nasal sounds.

PUNCTUATION

Punctuation Marks

The punctuation marks are the same in Italian as in English:

.	punto	—	lineetta
,	virgola	" "	virgolette
;	punto e virgola	( )	parentesi
:	due punti	[ ]	parentesi quadra
?	punto interrogativo	*	asterisco
!	punto esclamativo	}	grappa
…	punti sospensivi		

They are used much in the same manner as in English, except in the following cases:

(1) The *punti sospensivi* are used in the place of the English dash.

(2) The *lineetta* denotes a change of speaker in a conversation.

The Apostrophe

The apostrophe is used when a letter has been elided:

> e.g. l'amica *instead of* la amica.
> l'Italia *instead of* la Italia.

Syllabication

Italian words are divided into syllables. The main rules are:

(1) Any single consonant between two vowels belongs to the syllable which follows.

> e.g. matita (*pencil*)   ma-ti-ta
> parola (*word*)   pa-ro-la

(2) All double consonants must be distinctly pronounced in Italian.

> e.g. bello (*beautiful*)   bel-lo
> tetto (*roof*)   tet-to

ACCENTUATION

Written accents

Three accents are used in Italian: the grave (`), the acute (´) and the circumflex (^).

(1) The grave accent is the one most frequently used. It acts mainly as a stress mark. This accent is used:

(a) to denote the open sound of *e*.

e.g. è   *is, it is*   caffè   *coffee*

(b) on words which have the stress on the last syllable.

e.g. città   *town, city*   virtù   *virtue*

(This category includes mainly words contracted from the Latin.)

(c) on the following five words.

ciò	*that*	più	*more*
già	*already*	può	*he (she) can*
giù	*down*		

(d) on words of one syllable which otherwise would be confused with others of the same spelling but of different meaning.

e.g. è	*is*	e	*and*
dà	*gives*	da	*by, from*
dì	*day* (poet.)	di	*of*
sì	*yes*	si	(pronoun) *him-self, herself*
là	*there*	la	(article) *the*
sè	*himself, herself*	se	*if*
lì	*there*	li	(pronoun) *them*
tè	*tea*	te	*thee (you)*

(2) The acute accent is sometimes seen written in a word over the letter *e*, when the *e* has a close sound.

e.g. né   *nor*   perché   *why, because*

This accent is frequently replaced by the grave accent.

(3) The circumflex accent is very rarely used. It is written only on words which have been contracted; such words are found only in poetry.

e.g. côrre *for* cogliere *to gather*

Stress or tonic accent

(1) In Italian the stress on words usually falls on the last syllable but one:

e.g. par*o*la   *word*   Milano   *Milan*

In this case the words are known as *parole piane*.

(2) The stress is also found on the last syllable but two:

e.g. s*a*bato   *Saturday*   dom*e*nica   *Sunday*
tav*o*la   *table*

These are known as *parole sdrucciole*.

(3) Sometimes it is even found on the last syllable but three:

e.g. dimen*t*icano *they forget*   desid*e*rano *they want*

This is more uncommon and occurs chiefly in verbal forms; these are known as *parole bisdrucciole*.

(4) And, finally, there are words with the stress on the last syllable, but in this case the stress is indicated by a grave accent, as already stated above:

e.g. qualità   *quality*   carità   *charity*

These are known as *parole tronche*.

Throughout this book, if the stress occurs other than as indicated in (1) above, the stressed vowel is shown in italic type, or in roman type if the word itself is in italic.

CAPITAL LETTERS

Capital letters are used in Italian as in English for names of people, countries, towns, rivers and lakes:

e.g. Roberto   Italia   Roma   Como

But small letters are used as follows:

(1) For the months of the year, days of the week, seasons and adjectives of nationality.

e.g. aprile	*April*
lunedì	*Monday*
la primavera	*Spring*
la lingua italiana	*the Italian language*

(2) For titles followed by a proper name.

e.g. il signor Neri	*Mr. Neri*
la contessa Valli	*Countess Valli*

(3) For the pronoun I, *io*, unless it begins a sentence.

e.g. Io parlo italiano.	*I speak Italian.*
Anch'io.	*I, too.*

Note, however, that the pronouns *Lei* (singular form) and *Loro* (plural form), when meaning "you", are written with a capital letter:

e.g. Dove va Lei, signora?	*Where are you going, madam?*
Io vado a Milano.	*I am going to Milan.*
Anch'io.	*So am I.*

PRONUNCIATION PRACTICE

(1) Amica, regina, matita, caro, chiave, lago, laghi, grande, penna, ogni, figlio, quasi, Roma, Milano, Bologna, Vinci, Rapallo, Napoli, Verona, Genova, Firenze, Pisa, Torino, Venezia.

(2) Grazie. Prego. Permesso. Avanti. Presente. Assente. Buon giorno. Buona sera. Buona notte. Signore. Signora. Signorina.

(3) Uno, due, tre, quattro, cinque, sei, sette, otto, nove.

(4) Chi va piano va sano e va lontano.
Una rondine non fa primavera.
Il tempo fugge e non ritorna più.
Chi è paziente è sapiente.
La salute è la prima ricchezza.
A ogni uccello suo nido è bello.
Chi ben principia è alla metà dell'opera.
L'uomo propone e Dio dispone.
Bisogna battere il ferro mentre è caldo.
Acqua cheta rovina i ponti.

SECTION ONE

LESSON I

The Definite Article—*the*

The is translated by:

(*a*)   *il*   before a masculine noun in the singular beginning with a consonant, except *s* impure (that is, *s* followed by a consonant), *z* or *gn*.

      e.g. il libro   *the book*   il ragazzo   *the boy*

(*b*)   *lo*   before a masculine noun in the singular beginning with *s* impure, *z* or *gn*.

      e.g. lo studente *the student*   lo zio   *the uncle*
          lo gnocco *the dumpling*

(*c*)   *la*   before a feminine noun in the singular beginning with a consonant.

      e.g. la penna   *the pen*
          la studentessa   *the student*
          la zia   *the aunt*

(*d*)   *l'*   before a masculine or a feminine noun in the singular beginning with a vowel.

      e.g. l'alunno   *the pupil (m.)*
          l'alunna   *the pupil (f.)*

Gender of Nouns

In Italian there are only two genders; every noun must be either masculine or feminine.

As a preliminary guide, it is useful to know that:

(*a*) Nouns ending in -*o* are masculine.

      e.g. il libro   *the book*
          il quaderno   *the exercise book*

There are only a few exceptions to this rule, the most common being:

la mano   *the hand*   la radio   *the radio*

(*b*) Nearly all nouns ending in -*a* are feminine.

    e.g. la penna   *the pen*   la matita   *the pencil*

For masculine nouns ending in -*a* (e.g. *il poeta*, poet), see Lesson XVI.

(*c*) Nouns ending in -*ione* are feminine.

    e.g. la stazione   *the station*
         la televisione   *the television*

(*d*) Nouns ending in -*e* may be of either gender. Those denoting people are easy to remember.

    e.g. il padre   *the father*   la madre   *the mother*

    Others may cause confusion.

    e.g. la classe *the classroom*   il nome   *the name*
        l'animale (*m.*) *the animal*   la frase   *the sentence*

Because of this, the student should try, from the beginning, to associate all nouns with their corresponding articles.

To form the feminine of nouns which denote people and which end in -*o*, change the -*o* to -*a*.

    e.g. il maestro   *master* →   la maestra   *mistress*
        il ragazzo   *boy*   →   la ragazza   *girl*

VOCABULARY

la classe	class, classroom	la frase	phrase, sentence
il maestro	master, teacher	la radio	radio, wireless
la maestra	mistress	lo studio	study, studio
l'alunno	pupil (*m.*)	lo studente	student (*m.*)
l'alunna	pupil (*f.*)	la studentessa	student (*f.*)
la tavola	table	lo zio	uncle
la sedia	chair	la zia	aunt
la porta	door	il padre	father
il libro	book	la madre	mother
il quaderno	exercise book	e (*or* ed *before*	
la finestra	window	a vowel)	and
il banco	desk	è	is (it is)
la penna	pen	chi ha?	who has?
la matita	pencil	dove?	where?
la stazione	station	dov'è?	where is?
la televisione	television	ecco	here is, here are,
il nome	name		there is, there are
l'animale (*m.*)	animal	sopra	on, upon

sotto	under	signore	sir
mi passi	pass me	signora	madam, Mrs.
mi mostri	show me	signorina	Miss
per favore per piacere }	please		

NOTE.—*Signore* (like all the other titles ending in *-ore*, as *senatore*, *professore*, *dottore*), drops the final *-e* before a name or title.

CONVERSATION

Buon giorno.	*Good morning (day).*
Buona sera.	*Good evening.*
Come sta?	*How are you?*
Bene, grazie, e Lei?	*Well, thank you, and you?*
Molto bene, grazie.	*Very well, thank you.*

LA CLASSE

Ecco la classe. Ecco il maestro. Il libro è sopra la tavola. Il quaderno è sopra il banco. Ecco l'alunno. L'alunno ha la matita. Ecco l'alunna. L'alunna ha la penna. Ecco la porta. Dov'è la finestra? Mi mostri la sedia, per favore. Ecco la sedia. Mi mostri la tavola. Ecco la tavola. Chi ha il libro? Il maestro ha il libro. Mi mostri il banco. Ecco il banco.

EXERCISES

A. Translate, and then answer in Italian, the following questions:

1. Dov'è il libro?
2. Dov'è la porta?
3. Chi ha il quaderno?
4. Chi ha la penna?
5. Dov'è la sedia?
6. Dov'è il banco?
7. Chi ha la sedia?
8. Chi ha la matita?
9. Dov'è l'alunno?
10. Dov'è l'alunna?

B. Put the correct form of the definite article in front of the following nouns:

1. — alunno
2. — maestro
3. — penna
4. — libro
5. — studente
6. — matita

7. — quaderno   10. — banco
8. — porta   11. — finestra
9. — zio   12. — zia

C. Translate into Italian:

1. The girl and the pencil.
2. The boy and the pen.
3. The master and the pupil (*m.*).
4. The mistress and the pupil (*f.*).
5. The door and the window.
6. The book and the exercise book.
7. Here is the student (*m.*).
8. Here is the student (*f.*).
9. Pass me the chair, please.
10. Thank you.   Show me the table.

D. Translate into Italian:

1. Good morning, madam.
2. Good morning, sir.
3. How are you?
4. Well, thank you, and you?
5. Very well, thank you.
6. Where is the teacher (*f.*)?
7. Who has the book?
8. Show me the pencil, please.
9. Pass me the exercise book, please.
10. Thank you, madam.

E. Complete the following and then translate into English:

1. Il maestro ha — libro e — penna.
2. Mi mostri — televisione.
3. Dov'è — animale?
4. Per favore, signore, mi passi — sedia.
5. Il quaderno è sotto — tavola.
6. La matita è sopra — radio.
7. Mi mostri — quaderno, per favore.
8. Ecco — studio.
9. La ragazza ha — matita.
10. Dov'è — studente?

LESSON II

The Indefinite Article—*a, an*

A, an is translated by:

(*a*) *un* before masculine nouns in the singular, except those beginning with *s* impure or with *z*.

e.g. un libro   *a book*   un amico   *a friend* (*m.*)

(*b*) *uno* before a masculine noun in the singular beginning with *s* impure, *z* or *gn*.

e.g. uno spillo   *a pin*   uno zio   *an uncle*
uno gnomo   *a gnome*

(*c*) *una* before a feminine noun in the singular beginning with a consonant.

e.g. una penna *a pen*   una sala   *a room*

(*d*) *un'* before a feminine noun in the singular beginning with a vowel.

e.g. un'amica   *a friend* (*f.*) un'ora   *an hour*

Cardinal Numbers

1	uno	5	cinque	9	nove
2	due	6	sei	10	dieci
3	tre	7	sette	11	undici
4	quattro	8	otto	12	dodici

NOTE.—*uno*, with its different forms *un, una, un'* as explained above, is the only number which changes its form according to the noun which follows.

Formation of the Plural of Nouns

(*a*) Masculine nouns ending in *-o, -a* or *-e* change the final vowel to *-i*.

e.g. libro → libri   padre → padri
poeta → poeti

(b) To form the plural of nouns ending in *-io* omit the *-o*, unless the *-i-* is stressed, in which case change *-io* to *-ii*.

   e.g. f*i*glio → figli BUT zio → zii

(c) Feminine nouns ending in *-a* change *-a* to *-e*.

(d) Feminine nouns ending in *-e* change *-e* to *-i*.

   e.g. madre → madri

NOTE.—The plural of the feminine noun *la mano* (hand) is *le mani*.

VOCABULARY

una casa	house	un'amica	friend (*f.*)
un giardino	garden	un'ora	hour
una sala	hall, room	uno spillo	pin
un salotto	lounge, living-room	che?	what?
		c'è	there is; is there?
una sala da pranzo	dining-room	chi è?	who is?
una cucina	kitchen	che ha? *or* che cosa ha?	what has?
un ragazzo	boy	questo, questa	this (*m.*), this (*f.*)
una ragazza	girl	a destra	to the right
un giornale	newspaper	a sinistra	to the left
una rivista	magazine	Maria	Mary
un amico	friend (*m.*)	Giovanni	John

CONVERSATION

Che (cosa) è questo?	*What is this?*
Permesso.	*Allow me; excuse me.*
Avanti.	*Forward, come in.*
Mi scusi.	*Excuse me.*
Prego.	*I beg you.*

UNA CASA

Ecco un giardino. Ecco una casa. Ecco una porta. A destra c'è la sala da pranzo. A sinistra c'è il salotto. Ecco la cucina. La casa ha quattro porte e sei finestre. Ecco il padre. Ecco la madre. Il padre ha un giornale. La madre ha una rivista. Ecco una ragazza. Ecco due ragazze. Ecco un ragazzo. Ecco due ragazzi. Chi è questa ragazza? È Maria. Chi è questo ragazzo? È Giovanni. Maria ha un libro. Giovanni ha un quaderno.

EXERCISES

A. Translate, and then answer in Italian, the following questions:

1. Dov'è la casa?
2. Dov'è la porta?
3. Che c'è a sinistra?
4. Che c'è a destra?
5. Chi è questa ragazza?
6. Chi è questo ragazzo?
7. Che ha il padre?
8. Che ha la madre?
9. Che ha Maria?
10. Che ha Giovanni?

B. Put the correct form of the indefinite article in front of the following nouns:

1. — zia
2. — casa
3. — amico
4. — porta
5. — amica
6. — rivista
7. — ragazzo
8. — zio
9. — sala
10. — giornale
11. — padre
12. — studente

C. Translate into Italian:

1. A boy and a girl.
2. A father and a mother.
3. A student (*m.*) and a pupil (*f.*).
4. A house and a garden.
5. To the right there is a door.
6. To the left there is a window.
7. Here is a dining-room.
8. Here is a lounge.
9. A newspaper is on the chair.
10. A magazine is under the table.

D. Translate into Italian:

1. Good evening, sir.
2. Good evening, madam.
3. Where is the dining-room?
4. To the right, madam.
5. Where is the lounge?
6. To the left, sir.
7. What is this?
8. It is a magazine.
9. What is this?
10. It is a newspaper.

E. Complete with a noun:

1. Ecco un —
2. Ecco una —
3. Ecco un' —
4. Mi mostri una —
5. Chi ha uno —
6. Mi passi tre —
7. Mi mostri due —
8. Ecco cinque —
9. Ecco sette —
10. Ecco nove —

LESSON III

Plural of the Definite Article

The plural of *il*	is	*i*
The plural of *la*	is	*le*
The plural of *l'* (*m.*)	is	*gli*
The plural of *l'* (*f.*)	is	*le*
The plural of *lo*	is	*gli*

e.g. il libro   → i libri
     la penna   → le penne
     l'alunno   → gli alunni
     l'alunna   → le alunne
     lo studente → gli studenti

NOTE.—*gli* generally becomes *gl'* before a word beginning with *i*: e.g. l'Italiano (*the Italian*) → gl'Italiani, but *gli Italiani* is also correct.

Agreement of Adjectives

All adjectives must agree in gender and number with the noun they qualify:

(*a*) If the adjective ends in -*o* the feminine is formed by changing the -*o* to -*a*.

    e.g. nero   (*black*) (*m.*) → nera (*f.*)
        italiano (*Italian*) (*m.*) → italiana (*f.*)

    The plural is formed by changing the -*o* to -*i* and the -*a* to -*e*.

    e.g. un ragazzo italiano   → due ragazzi italiani
        una ragazza italiana   → due ragazze italiane

(*b*) If the adjective ends in -*e*, it remains the same for the feminine singular. To form the plural for both genders change the -*e* to -*i*.

    e.g. un ragazzo inglese   → due ragazzi inglesi
        una ragazza inglese   → due ragazze inglesi

Position of Adjectives

The general rule for the position of adjectives is that they follow the noun, particularly where the adjective refers to colour, shape, nationality and religion.

e.g. un libro nero	*a black book*
una penna nera	*a black pen*
un libro quadrato	*a square book*
una tavola rotonda	*a round table*
un signore italiano	*an Italian gentleman*
una signora italiana	*an Italian lady*
un signore anglicano	*an Anglican gentleman*
una signora cattolica	*a Catholic lady*

Ordinal Numbers

1st	primo		5th	quinto
2nd	secondo		6th	sesto
3rd	terzo		7th	settimo
4th	quarto			

Ordinal numbers used as adjectives, agree with the noun they qualify and usually precede it.

e.g. il primo giorno	*the first day*
la prima settimana	*the first week*
i primi mesi	*the first months*
le prime lezioni	*the first lessons*

Days of the Week—*i giorni della settimana*

lunedì	*Monday*
martedì	*Tuesday*
mercoledì	*Wednesday*
giovedì	*Thursday*
venerdì	*Friday*
sabato	*Saturday*
domenica	*Sunday*

As already stated, days of the week are written with a small initial letter (except, of course, when they begin a new sentence).

B

VOCABULARY

l'entrata	entrance	celeste	pale blue
l'albero	tree	azzurro (-a)	blue
il fiore	flower	blu	blue
l'erba	grass	bruno (-a)	dark brown
la foglia	leaf	marrone	brown
il garofano	carnation	grande	big
il papavero	poppy	piccolo (-a)	small
la rosa	rose	molto (-a)	much, a lot
la margheritina	daisy	molti (-e)	many
la farfalla	butterfly	sì	yes
il colore	colour	no	no
l'idea	idea	più	more
il mese	month	meno	less
la lezione	lesson	di (*or* d' *before*	
bianco (-a)	white	*a vowel*)	of
nero (-a)	black	ci sono	there are; are
giallo (-a)	yellow		there?
rosso (-a)	red	dove sono?	where are?
verde	green	quanto (-a)	how much (many)

CONVERSATION

Di che colore è questo?	*What colour is this?*
Che è questo?	*What is this?*
Che sono questi?	*What are these?*
Quanto fanno sette più tre?	*How many are seven plus three? (lit. How much make . . .?)*
Sei meno cinque fanno uno.	*Six minus five are one.*

UN GIARDINO

Ecco un giardino. Questo giardino è piccolo. Ecco un albero. Sotto l'albero c'è una piccola tavola verde e ci sono due sedie verdi. Ci sono molti fiori in questo giardino, fiori rossi, gialli e celesti. Le foglie di questi fiori sono verdi. L'erba è verde. Ecco un piccolo ragazzo. Il ragazzo ha tre fiori. Questi fiori sono papaveri. Ecco una piccola ragazza. La ragazza ha dieci fiori, e questi fiori sono margheritine. La madre di questa ragazza ha quattro rose. Il padre ha due garofani. Ecco una farfalla; questa farfalla è gialla.

EXERCISES

A. Translate, and then answer in Italian, the following
   questions:

1. È grande il giardino?
2. Che c'è sotto l'albero?
3. Di che colore è l'erba?
4. Di che colore è la rosa?
5. Quanti papaveri ha il ragazzo?
6. Quante margheritine ha la ragazza?
7. Chi ha quattro rose?
8. Chi ha due garofani?
9. Quanto fanno sei più due?
10. Quanto fanno nove meno quattro?

B. Translate into Italian:

1. Here is the garden.
2. Where is the entrance?
3. This table is round.
4. Where are the chairs?
5. There is a boy under the tree.
6. There are many butterflies in this garden.
7. What is this?
8. What are these?
9. Here is the teacher.
10. Here are the students.

C. Translate into English:

1. Questo signore è italiano.
2. Questa signora è inglese.
3. Questi ragazzi sono italiani.
4. Queste ragazze sono inglesi.
5. Ecco un quaderno rosso.
6. Ecco una matita gialla.
7. Ecco un libro verde.
8. Ecco due penne nere.
9. Dieci più due fanno dodici.
10. Undici meno due fanno nove.

D. Translate into Italian:

1. One red rose and two carnations.
2. One butterfly and three flowers.
3. Four tables.
4. Five gardens.
5. Six trees.
6. Seven flowers.
7. This red book.
8. This black pen.
9. These yellow flowers.
10. These green pencils.

E. Put the correct plural form of the definite article in front of the following nouns:

1. — fiori
2. — rose
3. — colori
4. — idee
5. — giorni

6. — studenti
7. — garofani
8. — zie
9. — case
10. — giardini

LESSON IV

Subject Pronouns

The personal subject pronouns are:

io	*I*
tu	*you* (*familiar form sing.*)
egli, lui, esso	*he, it*
ella, lei, essa	*she, it*
Lei	*you* (*polite form masc. and fem. sing.*)
noi	*we*
voi	*you* (*familiar form pl.*)
essi, loro	*they* (*masc.*)
esse, loro	*they* (*fem.*)
Loro	*you* (*polite form masc. and fem. pl.*)

In Italian the subject pronouns are often omitted before the verb as nearly all the verbal forms may be recognized by their terminations. These pronouns must, however, be used in the following cases:

(a) For emphasis.

> e.g. Io non parlo italiano, signora.
> *I do not speak Italian, madam.*

(b) When there are two subjects in contrast.

> e.g. Carlo parla italiano, io parlo francese.
> *Charles speaks Italian, I speak French.*

(c) After the word *anche* (too, also, even).

> e.g. Roberto parla francese, anch'io parlo francese.
> *Robert speaks French, I too speak French.*

egli (fem. *ella*) and *lui* (fem. *lei*) are used only for persons.

egli and *ella* are used in writing, *lui* and *lei* in conversation, and for emphasis.

esso (fem. *essa*) is used for persons, animals or things.

NOTE.—*it*, used as a subject pronoun, is seldom expressed in Italian.

e.g. Dov'è il giornale? È sopra la tavola.
    Where is the newspaper? It is on the table.
Dov'è? *Where is it?*

The translation of "you"

In Italian there are four ways of translating *you* as a subject pronoun, viz: *tu, Lei, voi* and *Loro.*

(*a*) *tu,* known as the "familiar" form, is used when speaking (or writing) to a relation, an intimate friend, a child or an animal. The plural of *tu* is *voi.*

    e.g. Tu parli italiano molto bene, Roberto.
        You speak Italian very well, Robert.

        Voi pronunziate bene queste parole, ragazzi.
        You pronounce these words well, children.

(*b*) *Lei,* known as the "polite" form, is used when addressing a lady or a gentleman with whom one is not on intimate terms. The plural of *Lei* is *Loro.* This form is derived from an old expression similar to *Your Lordship* or *Your Ladyship. Lei* must be followed by the verb in the third person singular, *Loro* by the verb in the third person plural. *Lei* and *Loro* are spelt with a capital letter.

    e.g. Lei è molto gentile, signora.
        You are very kind, madam.

        Loro sono molto gentili, signori.
        You are very kind, gentlemen.

        Come sta, signora? *How are you, madam?*
        (*Lei* being understood).

        Come stanno, signorine? *How are you, ladies?*
        (*Loro* being understood).

(*c*) *voi,* besides being the plural form of *tu,* is used in commerce, and in some parts of Italy for addressing an individual.

    e.g. Il prezzo che voi domandate è alto.
        The price you are asking is high.

        Che fate voi, ragazzo?
        What are you doing, boy?

The Auxiliary Verbs *avere* and *essere*

Now let us study the present indicative of the auxiliary verbs *avere* (to have) and e*ssere* (to be) with all the subject pronouns.

AVERE, *to have*		ESSERE, *to be*	
io ho	*I have*	io sono	*I am*
tu hai	*you have*	tu sei	*you are*
egli, lui, esso ⎫	*he, it has*	egli, lui, esso ⎫	*he, it is*
ella, lei, essa ⎬ ha	*she, it has*	ella, lei, essa ⎬ è	*she, it is*
Lei ⎭	*you have*	Lei ⎭	*you are*
noi abbiamo	*we have*	noi siamo	*we are*
voi avete	*you have*	voi siete	*you are*
essi, loro ⎫	*they have*	essi, loro ⎫	*they are*
esse, loro ⎬ hanno	*they have*	esse, loro ⎬ sono	*they are*
Loro ⎭	*you have*	Loro ⎭	*you are*

NOTE.—To form the negative, place *non* in front of the verb:

e.g. io non ho   *I have not*   io non sono *I am not*

To form the interrogative simply invert the pronoun and the verb:

e.g. ho io?   *Have I?*   sono io?   *Am I?*

Very often the Italians form the interrogative by leaving the verb and pronoun as they stand and **either** by inflecting the voice, as one sometimes does in English when denoting surprise:

e.g. Lei ha una macchina?   *You have a car?*

Giovanni ha un telefono?   *Has John got a telephone?*

or by using *non è vero?* (is it not?):

e.g. Il libro è caro, non è vero? *The book is dear, is it not?*

La tavola è rotonda, non   *The table is round, isn't it?*
è vero?

(*Non è vero* is equivalent to the French *n'est-ce pas*.)

Months of the Year—*i mesi dell'anno*

gennaio	*January*	luglio	*July*
febbraio	*February*	agosto	*August*
marzo	*March*	settembre	*September*
aprile	*April*	ottobre	*October*
maggio	*May*	novembre	*November*
giugno	*June*	dicembre	*December*

VOCABULARY

il pranzo	dinner	l'ora	hour, the time
la credenza	sideboard	il figlio	son
la tovaglia	tablecloth	la figlia	daughter
il tovagliolo	serviette, table napkin	i figli	the children (sons and daughters)
il vaso	vase		
il piatto	plate, dish	pronto	ready
il coltello	knife	il signor Valli	Mr. Valli
la forchetta	fork	Mario	Mario
il cucchiaio	spoon	Pietro	Peter
il bicchiere	glass	quale *or* qual	which

UNA SALA DA PRANZO

Ecco una sala da pranzo. In questa sala c'è una grande tavola, ci sono sei sedie ed una credenza a sinistra. Sopra la tavola c'è una tovaglia bianca, e c'è un vaso di fiori; questi fiori sono rose. Ci sono piatti, coltelli, forchette, cucchiai, bicchieri e tovaglioli. Il pranzo è pronto. Ecco il padre, il signor Valli, la madre, la signora Valli, e i due figli, Pietro e Mario.

EXERCISES

A. Translate, then answer in Italian:

1. Che c'è in questa sala da pranzo?
2. E che c'è sopra la tavola?
3. Quante sedie ci sono?

4. Che c'è a sinistra?
5. Che fiori sono in questo vaso?
6. Chi è il padre?
7. Chi è la madre?
8. Chi sono i due figli?
9. Qual è il primo mese dell'anno?
10. Qual è il secondo mese?

B. Put the subject pronoun before these verbal forms:

1. — abbiamo
2. — è
3. — ho
4. — siamo
5. — hai
6. — siete
7. — sei
8. — sono
9. — ha
10. — hanno

C. Put a suitable adjective after the following nouns:

1. Il padre è —
2. La madre è —
3. Ecco un fiore —
4. Ecco una tavola —
5. Questa sala da pranzo è —
6. Questo vaso è —
7. Questi fiori sono —
8. Queste sedie sono —
9. I papaveri sono —
10. L'erba è —

D. Translate into Italian:

1. I have
2. He has
3. We have
4. She is
5. We are
6. You (polite form sing.) are
7. They have
8. I am
9. You (polite form pl.) have
10. We are not

E. Translate:

1. Three knives
2. Four forks
3. Two glasses
4. Five hours
5. The second month
6. The fourth day
7. The first year
8. We have a small house.
9. You (sing.) are Italian.
10. I haven't a glass.

LESSON V

Interrogatives

Chi *who, whom?*
Che
Che cosa } *what?* } are pronouns and they are invariable.
Cosa

e.g. Chi è questo ragazzo?   *Who is this boy?*
    Chi è questa ragazza?   *Who is this girl?*
    Chi sono queste signore?   *Who are these ladies?*

The words *dove*, where? (usually *dov'* before a vowel), *come*, how? and *perchè*, why? are also invariable.

e.g. Dov'è Maria?   *Where is Mary?*
    Dov'è Giovanni?   *Where is John?*
    Dove sono le signore?   *Where are the ladies?*
    Come sta?   *How are you?*
    Perchè non compra Lei una   *Why do you not buy a villa?*
    villa?

NOTE.—*perchè* also means *because*:

    Perchè io non ho danaro.   *Because I have no money.*

The following interrogatives may be used as pronouns or adjectives, but they are variable and therefore agree in number and gender with their nouns.

Quanto?   *How much?*   Quale? } *Which?*
Quanti?   *How many?*   Qual? }

Used adjectivally: Quanto danaro?   *How much money?*
    Quanta carne?   *How much meat?*
    Quanti giorni?   *How many days?*
    Quante settimane?   *How many weeks?*
    Qual giorno?   *Which day?*
    Quali settimane?   *Which weeks?*
Used as pronouns: Quale?   *Which one?*
    Quali?   *Which ones?*
    Quanti?   *How many?*

e.g. Ho due penne, quale preferisce?
> *I have two pens, which one do you prefer?*

Ecco dei giornali inglesi, quali desidera?
> *Here are some English newspapers, which ones do you want?*

Plurals of Nouns ending in -co, -go, -ca, -ga

Nouns and adjectives ending in *-co* and *-go* generally insert *h* in the plural to keep the hard sound. The general rule is:

If the stress falls on the last syllable but one, insert the *h*, otherwise change the *-o* to *-i* in the normal way:

e.g.	il fuoco	*fire*	→	i fuochi
	lungo	*long*	→	lunghi
	tedesco	*German*	→	tedeschi
BUT	il medico	*doctor*	→	i medici
	magnifico	*magnificent*	→	magnifici

There are exceptions, however, two of which are:

| | l'amico | *friend* | → | gli amici |
| | greco | *Greek* | → | greci |

Feminine nouns and adjectives ending in *-ca* and *-ga* always take *h* in the plural:

e.g.	la barca	*boat*	→	le barche
	lunga	*long*	→	lunghe
	magnifica	*magnificent*	→	magnifiche

Conjugation of Regular Verbs

Italian verbs are divided into three conjugations; these are determined by their infinitive endings.

The First Conjugation ends in   *-are.*
The Second Conjugation ends in *-ere.*
The Third Conjugation ends in   *-ire.*

e.g.	parlare	*to speak*
	vendere	*to sell*
	capire	*to understand*

The stem or root of all regular verbs never changes (the stem is the part preceding the infinitive ending:

e.g. parl-are   vend-ere   cap-ire)

Different endings are added to the stem to denote the person, the number, the tense and the mood.

With *parlare* and *vendere* as model verbs of the first and second conjugations, now let us study the present indicative, together with the subject pronouns. The third conjugation will be studied in Lesson VI.

PRESENT INDICATIVE

PARLARE, *to speak*

io parlo	*I speak*
tu parli	*you speak*
egli	*he speaks*
ella ⎰parla	*she speaks*
Lei	*you speak*
noi parliamo	*we speak*
voi parlate	*you speak*
essi	*they (m.) speak*
esse ⎰parlano	*they (f.) speak*
Loro	*you speak*

VENDERE, *to sell*

io vendo	*I sell*
tu vendi	*you sell*
egli	*he sells*
ella ⎰vende	*she sells*
Lei	*you sell*
noi vendiamo	*we sell*
voi vendete	*you sell*
essi	*they (m.) sell*
esse ⎰vendono	*they (f.) sell*
Loro	*you sell*

The Italian present translates not only the simple present "I speak", but also the progressive "I am speaking" and the emphatic "I do speak".

NOTE.—The verb "to do" used as an auxiliary is *not* translated in Italian.

Note the following common endings in the present indicative of all regular verbs:

The first person singular ends in	*-o.*
The second person singular ends in	*-i.*
The third person singular ends in	*-a* or *-e.*
The first person plural ends in	*-iamo.*
The second person plural ends in	*-ate -ete -ite* (Lesson VI)
The third person plural ends in	*-ano* or *-ono.*

Verbs conjugated like *parlare*:		and like *vendere*:	
comprare	*to buy*	ricevere	*to receive*
entrare	*to enter*	credere	*to believe*
	(followed by	ripetere	*to repeat*
	the preposition	perdere	*to lose*
	in before		
	nouns)		
domandare	*to ask*		
mostrare	*to show*		
trovare	*to find*		

NOTE.—The infinitive of the above verbs in -*ere* has the stress on the third syllable from the end, like e*ssere*.

As already stated, the subject pronouns are rarely used in Italian, except for clarity or emphasis.

In conversation, *lui* (he) and *lei* (she) with the plural *loro* (they) are used in preference to the other third person pronouns. (Note the small initial letter, and do not confuse these pronouns with *Lei* and *Loro*, the polite forms for "you".)

VOCABULARY

la città (*pl.* città)	town	parlare	to speak
in città	in town, into town	vendere	to sell
l'edificio	building	le quattro stagioni	the four seasons
la cattedrale ⎱ il duomo ⎰	cathedral	la primavera	spring
		l'estate (*f.*)	summer
la chiesa	church	l'autunno	autumn
il municipio	town hall	l'inverno	winter
il museo	museum	lungo	long
la piazza	square	largo	wide
il viale	avenue	corto	short
la via	road, street	stretto	narrow
la scatola	box	l'anno	year
il fazzoletto	handkerchief	dell'anno	of the year
la stagione	season	il danaro (*or* denaro)	money
tutto (-a)	all	il negozio	shop
alcuno, alcuni ⎱ alcuna, alcune ⎰	some, any	l'ultimo	last
altro	other	con	with

IN CITTÀ

In una città ci sono molti edifici. In questa piazza, a sinistra c'è una cattedrale, a destra c'è un museo. In un'altra piazza c'è il munic*i*pio. Alcune vie sono lunghe, altre sono corte. I viali sono lunghi e larghi. Due signore *e*ntrano in un neg*o*zio e c*o*mprano una tov*a*glia bianca e d*o*dici tovaglioli. Una signorina compra una sc*a*tola con sei fazzoletti. Le quattro stagioni dell'anno sono la primavera, l'estate, l'autunno, l'inverno. La primavera è la prima stagione, l'inverno è l'*u*ltima.

EXERCISES

A. Translate, then answer in Italian:

1. Che c'è in questa piazza, a destra?
2. E che c'è a sinistra?
3. Dov'è il munic*i*pio?
4. Sono larghe tutte le vie?
5. Sono stretti i viali?
6. Dove *e*ntrano le due signore?
7. Che c*o*mprano?
8. Che compra la signorina?
9. Quanti giorni ci sono in una settimana?
10. Quante stagioni ci sono in un anno?

B. Put a suitable subject pronoun in front of the following verbs and translate:

1. — compriamo
2. — parlo
3. — vende
4. — trovate
5. — non riceve

6. — credo
7. — non compra
8. — v*e*ndono
9. — mostri
10. — riceviamo

C. Translate into Italian:

1. I do not sell
2. We buy
3. She believes
4. I am speaking
5. They believe

6. We find
7. He speaks
8. I lose
9. They find
10. You (*tu, voi, Lei, Loro*) buy

D. Put into the plural:

1. Questo fazzoletto è bianco.
2. Questa scatola è bianca.
3. Il giardino è lungo.
4. La porta è larga.
5. Questo ragazzo è tedesco.
6. Questa ragazza è tedesca.
7. Questo signore compra la casa.
8. Questa signora parla italiano.
9. L'alunno passa il quaderno.
10. L'alunna ripete la lezione.

E. Translate into English:

1. A destra c'è il municipio.
2. A sinistra c'è un negozio.
3. Ci sono due chiese in questa via.
4. Mi passi la rivista francese, per favore.
5. Dov'è il museo, signora, per favore?
6. Mi scusi, signore, dov'è il duomo?
7. Che è questo?
8. È un giornale tedesco.
9. Che sono questi?
10. Sono due giornali tedeschi.

LESSON VI

Regular Verbs (*continued*)

In the third conjugation the verbs are in two groups:

(1) those conjugated like *capire*, to understand.
(2) those conjugated like *servire*, to serve.

The endings of the present indicative are the same for both groups, but those in the first group take *-isc-* between the stem and the ending in all the persons of the singular and in the third person plural.

Now let us study a model verb in each of the groups. (See page 173 for further examples.)

PRESENT INDICATIVE

CAPIRE, *to understand*

io capisco	*I understand* or *I do understand*
tu capisci	*you understand*
egli ⎫	*he understands*
ella ⎬ capisce	*she understands*
Lei ⎭	*you understand*
noi capiamo	*we understand*
voi capite	*you understand*
essi ⎫	*they (m.) understand*
esse ⎬ capiscono	*they (f.) understand*
Loro ⎭	*you understand*

SERVIRE, *to serve*

io servo		noi serviamo	
tu servi		voi servite	
egli ⎫		essi ⎫	
ella ⎬ serve		esse ⎬ servono	
Lei ⎭		Loro ⎭	

The *negative* is, as already stated, formed by placing *non* before the verb:

    e.g. io non capisco   *I do not understand*
         io non servo   *I do not serve*

The *interrogative* is formed **either** by placing the subject after the verb:

    e.g. capisce Lei?   *do you understand?*
         capiscono i ragazzi?   *do the boys understand?*

or by mere intonation of the voice.

Prepositions

a	*to, at*	su	*on*
da	*from, by*	per	*for*
di	*of*	con	*with*
in	*in*	tra/fra	between

(handwritten: tra/fra between)

These prepositions are used in the normal way before the indefinite article:

    e.g. a un ragazzo   *to a boy*
         da una signora   *from a lady*

NOTE.—Do not elide *da*.

Contractions of Prepositions

However, when these prepositions precede the definite article, they are joined to it and form one word:

    e.g. al ragazzo (a + il)   *to the boy*
         dalla signora (da + la) *from the lady*

Now let us take the preposition *a* with all the different forms of the definite article.

a + il	→ al	e.g. al ragazzo
a + la	→ alla	alla ragazza
a + l'	→ all'	all'alunno
		all'alunna
a + lo	→ allo	allo studente
		allo zio

a + i → ai   ai ragazzi
a + gli → agli   agli studenti
               agli zii
               agli alunni

NOTE ALSO.—

from the,	da + il	→ dal
	da + la	→ dalla, *etc.*
of the,	di + il	→ del
	di + la	→ della, *etc.*
in the,	in + il	→ nel
	in + la	→ nella, *etc.*
on the,	su + il	→ sul
	su + la	→ sulla, *etc.*

The prepositions *con* (with) and *per* (for) usually contract only with the masculine *il* and *i*, or they may be written as two words if desired—both ways are correct:

e.g. col (*or* con il) ragazzo   pel (*or* per il) ragazzo
    coi (*or* con i) ragazzi   pei (*or* per i) ragazzi

All the other contractions with *con* and *per* are now obsolete, and the use of both *pel* and *pei* is tending to die out.

This table will help the student to see, at a glance, the prepositions contracted with the definite article:

	+ il	+ la	+l'	+lo	+i	+le	+gli
a (*to, at*)	al	alla	all'	allo	ai	alle	agli
da (*from, by*)	dal	dalla	dall'	dallo	dai	dalle	dagli
di (*of*)	del	della	dell'	dello	dei	delle	degli
in (*in*)	nel	nella	nell'	nello	nei	nelle	negli
su (*on*)	sul	sulla	sull'	sullo	sui	sulle	sugli
per (*for*)	per il *or* per il	per la	per l'	per lo	pei *or* per i	per le	per gli
con (*with*)	con il *or* con il	con la	con l'	con lo	coi *or* con i	con le	con gli

Possession

In Italian, possession is shown by the use of the preposition *di* (usually *d'* before a vowel). There is no equivalent to the English apostrophe *s*.

e.g. il libro di Maria   *Mary's book*
      la penna d'Anna   *Ann's pen*
      il libro del ragazzo   *The boy's book*
      le penne dei ragazzi   *The children's pens*

VOCABULARY

la campagna	country	pieno	full
in campagna	in *or* into the country	altrettanto a Lei	the same to you
il sole	sun	dentro	inside
l'uccello	bird	fuori	outside
la giornata	whole day	ora, adesso	now
il cestino	basket	splendere	to shine
la cosa	thing	cantare	to sing
il pane	bread	passare	to pass, spend (*time*)
il formaggio	cheese		
il prosciutto	ham	aprire	to open
la bottiglia	bottle	tirare	to draw, pull
la limonata	lemonade	tirare fuori	to pull out
l'aranciata	orangeade	cominciare	to begin
la frutta (*pl.* le frutta)		mangiare	to eat
	fruit	vedere	to see
la colazione	lunch	dice (*from* dire, *to say*)	(he) says
Roberto	Robert		
Anna	Ann	rispondere	to reply
vicino a	near	la domanda	question
lontano da	far from	l'acqua	water

NOTE.—*vicino* (near) is followed by *a*:

   e.g. vicino a Lei   *near you*

entrare (to enter) is followed by the preposition *in* before a noun:

   e.g. entriamo in una casa   *we enter a house*

cominciare (to begin) is followed by the preposition *a* before another verb:

   e.g. cominciamo a parlare   *we begin to speak*

IN CAMPAGNA

È primavera, il sole splende e gli uccelli cantano. Roberto
e tre altri ragazzi passano la giornata in campagna. Ora sono
sotto un albero e vicino all'albero hanno un cestino. Che c'è
in questo cestino? Molte cose per la colazione dei ragazzi.
Roberto apre il cestino e tira fuori pane, formaggio, prosciutto,
frutta e due bottiglie. Una bottiglia è piena di limonata,
l'altra è piena d'aranciata. È l'ora di colazione—i ragazzi
cominciano a mangiare. Una signora vede i ragazzi e dice
(*says*)—Buon appetito.—Grazie, altrettanto a Lei, signora,
rispondono i ragazzi.

EXERCISES

A. Answer in Italian:

1. Dove sono Roberto e gli altri tre ragazzi?
2. Che c'è vicino all'albero?
3. Che c'è nel cestino?
4. Chi apre il cestino?
5. Che c'è in una bottiglia?
6. E nell'altra?
7. Che dice la signora?
8. Che rispondono i ragazzi?
9. Capisce Lei questa lezione?
10. Chi risponde alle domande?

B. Translate into English:

1. Della signora
2. Sul libro
3. Dall'alunno
4. Nello studio
5. Al maestro
6. Con gli studenti
7. Pel signore
8. Con la zia
9. Nel giardino
10. Dagli zii

C. Translate:

1. I ragazzi capiscono quasi (*almost*) tutto.
2. Noi rispondiamo alle domande.
3. Il maestro non è nello studio.
4. I giornali sono sulla tavola.
5. La frutta è nel cestino.
6. Questa bottiglia è piena d'acqua.
7. Sotto questa sedia c'è una rivista.
8. Ecco i libri della ragazza.
9. Questo uccello canta bene.
10. I quaderni degli studenti sono sull'erba.

D. Translate into Italian:

1. There is a bottle on the grass.
2. There are two boys near the tree.
3. The sun is not shining now.
4. A bird is singing.
5. I do not see the bird.
6. We begin to speak Italian.
7. I do not understand.
8. Do you understand, Robert?
9. The students reply well.
10. Here is a book for you, Madam.

E. Translate:

(*a*)
1. The lady's basket
2. The boy's hand
3. Anna's lunch
4. Two bottles of lemonade
5. Near the house
6. Far from the tree
7. In the basket
8. Of the girl
9. To the gentleman
10. From the master

(*b*) Write the present indicative of *avere* and *essere* in the negative form, e.g. io non ho, *etc.*, io non sono, *etc.*

Il Primo Gioco dell'Alfabeto

This "Alphabet Game" is intended to help the student to revise the vocabulary studied in the lessons; the Italian translations of the given words will be found to be in alphabetical order.

> e.g. 1. August   agosto
> 2. (the) glass   (il) bicchiere
> 3. (the) house   (la) casa, *etc.*

NOTE.—The article must not be omitted, but should be placed, in brackets, before or after the noun, as the student wishes.

Now translate into Italian:

1.	April	a......
2.	white	b......
3. (the)	knife	c......
4.	Sunday	d......
5.	here is, here are	e......
6.	February	f......
7. (the)	garden	g......
8.	have you? (polite form)	h......
9. (the)	winter	i......
10.	July	l......
11. (the)	pencil	m......
12.	nine	n......
13.	October	o......
14. (the)	first	p......
15.	this	q......
16. (the)	rose	r......
17. (the)	student	s......
18. (the)	table	t......
19.	eleven	u......
20.	Friday	v......
21. (the)	uncle	z......

LESSON VII

Direct Object Pronouns

The direct object pronouns are:

mi	*me*
ti	*you*
lo	*him* or *it* (*m.*)
la	*her* or *it* (*f.*)
La	*you* (*m.* or *f. sing., polite form*)
ci	*us*
vi	*you*
li	*them* (*m.*)
le	*them* (*f.*)
Li	*you* (*m. pl., polite form*)
Le	*you* (*f. pl., polite form*)

They are placed immediately before the verb except in a few cases which will be explained later.

e.g.	*I see him* or *it*	io *lo* vedo
	I see her or *it*	io *la* vedo
	We see them (*m.*)	noi *li* vediamo
	We see them (*f.*)	noi *le* vediamo
	Mary sees me	Maria *mi* vede
	I have it	io *l'*ho
	We invite him	noi *l'*invitiamo
	You invite us	Lei *c'*invita

NOTE.—*mi, ti, lo, la* and *vi* drop the vowel and take an apostrophe before a verb beginning with a vowel or *h*; but *ci* becomes *c'* only before *e* or *i*, as otherwise the *c* would become hard.

The Partitive Construction—*some, any*

(*a*) "Some" or "any" before a noun is usually translated by *di* and the contracted form of the definite article, when it stands for a part of something:

e.g. del pane   *some bread*
     della carne   *some meat*
     degli spinaci   *some spinach*
     dell'acqua   *some water*
     Ha (Lei) del pane? *Have you any bread?*

However, it is omitted in negative sentences if the noun is collective or plural:

e.g. Non ho pane. *I have no bread* or *I haven't any bread.*
     Non abbiamo libri. *We have no books.*

It may also be omitted in cases of enumeration:

e.g. Ho penne, matite e libri. *I have pens, pencils and books.*

(b) "Some" or "any" is translated by *alcuno*, with its different forms *alcuna* (*f.*) *alcuni* (*m. pl.*) and *alcune* (*f. pl.*), by *qualche*, when "some" or "any" indicates "a few", or by *un poco* (*un po'*), "a little":

     e.g. un po' di pane   *a little bread*

Alcuno (rarely used in the singular) agrees in gender and number with the noun to which it refers:

          e.g. alcuni libri   *some books*
               alcune penne   *some pens*

Qualche ̅a few must be followed by a noun in the singular, and any adjective or verb used in connection with it must also be in the singular:

          e.g. qualche libro   *some books*
               Qualche libro italiano è sulla sedia.
               Some Italian books are on the chair.

VOCABULARY

il mare	sea	il tempo	weather, time
al mare	at the seaside	il bagno	bathe, bath
la vacanza	holiday	il costume da	
la famiglia	family	bagno	bathing costume
l'aria	air	l'asciugamano	towel
il sole	sun	l'ombrellone	large umbrella
la salute	health	la sedia a sdraio	deckchair

il vino	wine	abbronzato	bronzed, tanned
il pane	bread	sano	healthy
la carne	meat	calmo	calm
lo zucchero	sugar	agitato	rough (sea)
la cabina	cabin	mare grosso	rough sea
la spiaggia	beach	forte	strong
la fine	end	quasi	almost
sempre	always	molto tempo	long time
spesso	often	un poco *or* un	
durante	during	po'	a little
una volta	once	affittare	to rent, hire
due volte	twice	portare	to carry, bring
qualche volta	sometimes	imparare	to learn
ma	but	dopo	after

AL MARE

Durante i mesi d'estate, giugno, luglio ed agosto, molte famiglie passano le vacanze al mare. L'aria del mare è sana. Sulla spiaggia ci sono cabine con tavole e sedie. Alcune famiglie affittano una cabina per due o tre settimane; portano i costumi da bagno e gli asciugamani e passano molte ore sulla spiaggia. Il mare non è sempre calmo, qualche volta è agitato. Il sole è forte durante i mesi di luglio e d'agosto ma ci sono gli ombrelloni e, sotto questi ombrelloni, le sedie a sdraia. I ragazzi passano molto tempo nel mare e, dopo un bagno, hanno sempre buon appetito. Alla fine delle vacanze sono abbronzati dal sole.

EXERCISES

A. Answer in Italian:

1. Quali sono i mesi d'estate?
2. Dove passa (Lei) le vacanze d'estate?
3. È sempre calmo il mare?
4. Che c'è sulla spiaggia?
5. Che c'è sotto gli ombrelloni?
6. È sana l'aria del mare?
7. Che preferisce Lei, il mare o la campagna?
8. Dove passano molto tempo i ragazzi?
9. È lontano da questa città il mare?
10. È vicina la campagna?

58 LIVING ITALIAN

B. Complete with the partitive article and translate:

1. Maria ha — penne.
2. Roberto ha — libri.
3. Ecco — studenti.
4. Ecco — studentesse.
5. Io ho — acqua fresca.
6. Lei ha — vino rosso.
7. Questa signora compra — riviste.
8. Questo signore compra — giornali.
9. Ha Lei — zii?
10. Hanno Loro — amiche?

C. Translate:

1. Mary understands it (*f*).
2. John learns it (*m*.).
3. We find them (*m*.).
4. They lose them (*f*.).
5. We see you (*familiar form*).
6. Anna sees us.
7. We have them (*f*.).
8. I have them (*m*.).
9. Anna has it (*f*.).
10. They do not have it (*m*.).

D. Complete with a noun:

1. Io ho del —
2. Noi abbiamo della —
3. Essi comprano dello —
4. Il maestro mostra dei —
5. Maria compra delle —
6. Non capisco la —
7. Anna compra un —
8. La signora vede il —
9. Il signore vede la —
10. Noi affittiamo una —

E. Translate:

1. We do not see the beach.
2. You find a cabin.

3. They speak to the lady.
4. He understands this lesson.
5. She buys some bread.
6. I buy some sugar.
7. Have you any Italian friends (*m.*)?
8. No, I have no Italian friends (*m.*).
9. Have they any English friends (*f.*)?
10. Yes, they have many English friends (*f.*).

F. Write the present tense of *comprare* and *vendere* in the negative form.

1. non compro, *etc.*   2. non vendo, *etc.*

LESSON VIII

Indirect Object Pronouns

The indirect object pronouns are:

mi	*to me*	ci	*to us*
ti	*to you*	vi	*to you*
gli	*to him*	loro	*to them* (*m.* and *f.*)
le	*to her*		
Le	*to you* (*m.* and *f.*)	Loro	*to you* (*m.* and *f.*)

These pronouns, with the exception of *loro* and *Loro*, usually precede the verb, except in certain cases which will be explained in a later lesson.

e.g.

Maria *mi* parla.	*Mary is speaking to me.*
Io *le* parlo.	*I am speaking to her.*
Roberto *ci* parla.	*Robert is speaking to us.*
Noi *gli* parliamo.	*We are speaking to him.*
Giovanni parla *Loro.*	*John is speaking to you* (*pl.*).
Noi parliamo *loro.*	*We are speaking to them.*
Io *gli* mando una lettera.	*I send him a letter.*

NOTE.—The object is indirect when it is preceded by *to* or when *to* is understood, as in the last example.

Cardinal Numbers (*continued*)

13	tredici	31	trentuno
14	quattordici	32	trentadue
15	quindici	33	trentatrè
16	sedici	34	trentaquattro
17	diciassette	40	quaranta
18	diciotto	41	quarantuno
19	diciannove	50	cinquanta
20	venti	60	sessanta
21	ventuno	70	settanta
22	ventidue	80	ottanta
23	ventitrè	90	novanta
30	trenta	100	cento

NOTE.—

(a) *Venti* (20), *trenta* (30), *quaranta* (40), and so on up to 100 drop the final vowel when combined with *uno* and *otto*:

e.g. ventuno (21), ventotto (28), trentuno (31), *etc.*

(b) The *e* of *tre* (3) when used by itself has no accent but when it is combined with another number a grave accent is placed over it:

e.g. ventitrè, trentatrè, *etc.*

(c) *Cento* (100), has no plural form:

e.g. duecento, *two hundred*

(d) *Mille* (1,000) has an irregular plural *mila*:

e.g. cinquemila, *five thousand*

(e) "One" is not translated before *cento* and *mille*:

e.g. milleseicentoquaranta, *one thousand six hundred and forty*
"And" is not translated between numbers.

(f) *Un milione* (plural *milioni*) (1,000,000).
Insert the preposition *di* or *d'* after *milione* when a noun follows:

e.g. un milione d'abitanti, *one million inhabitants*

Dates

In Italian the cardinal numbers are used to express the days of the month, with the exception of *primo* (first). "On" and "of" are not translated, and the article *il* (*l'*) is omitted when preceded by the day of the week.

e.g. il primo aprile (il 1° aprile)	*on the first of April*
martedì, due luglio	*Tuesday, July 2nd*
l'otto dicembre	*December 8th*
il 1900	*1900*
nel 1944	*in 1944*
nel settembre del 1960	*in September 1960*

Age

Age is expressed by means of the verb *avere*.

e.g. Quanti anni ha Roberto?   *How old is Robert?*
or Che età ha Roberto?   *What age is Robert?*
    Ha nove anni.   *He is nine years old.*
    Quanti anni ha Lei?   *How old are you?*
    Ho diciannove anni.   *I am nineteen years of age.*
    Quanti anni ha il padre di
      Maria?   *How old is Mary's father?*
    Ha quarantasette anni.   *He is forty-seven.*

VOCABULARY

il villaggio	village	fresco	fresh, cool
la collina	hill	freddo	cold
la montagna	mountain	profondo	deep
il bosco	wood	alto	high
il lago	lake	basso	low
il temporale	storm	difficile	difficult
il piacere	pleasure, favour	facile	easy
il sentiero	path, footpath	di solito	usually
l'ombra	shade	ogni	each, every
all'ombra	in the shade	durare molto	to last a long
la cartolina	postcard		time
la fine	end	cambiare	to change
l'anno bisestile	leap year	diventare	to become
la parola	word	camminare	to walk
la data	date	preferire	to prefer
la pagina	page	nuotare	to swim
il numero	number	mandare	to send

LA MONTAGNA

L'aria di montagna è fresca e sana. Alcune famiglie preferiscono la montagna al mare. Ci sono dei piccoli villaggi, delle colline, dei boschi e dei laghi di montagna. L'acqua di questi laghi è molto fredda. Qualche volta ci sono dei temporali, ma, di solito, non durano molto. Alla fine d'estate le foglie degli alberi cambiano colore e diventano gialle, quasi rosse. Il sole è forte, ma è un piacere camminare nei sentieri dei boschi, all'ombra degli alberi.

EXERCISES

A. Answer in Italian:

1. Parla italiano Lei?
2. Capisce tutte le parole Lei?
3. È difficile la lingua italiana?
4. Qual è la data di oggi?
5. Quanti giorni ci sono nel mese di settembre?
6. Di che colore sono le foglie in autunno?
7. Cammina molto Lei?
8. Nuota (Lei)?
9. Preferisce il mare alla montagna?
10. Quanti giorni ci sono in un anno bisestile?

B. Translate:

1. On June 1st.
2. On December 11th.

3. There are twenty-eight days in the month of February.
4. There are three hundred and sixty-five days in a year.
5. Today is October 28th.
6. This year is not a leap year.
7. This leaf is nearly yellow.
8. This path is short.
9. These lakes are very deep.
10. These mountains are high.

C. Translate:

1. I speak to her.
2. We speak to him.
3. She speaks to me.
4. You speak to them.
5. We send him a newspaper.
6. She sends us a postcard.
7. I send her a box of handkerchiefs.
8. Maria sends me a letter.
9. The children send us some flowers.
10. You send him a magazine.

D. Translate:

1. Quanti anni ha questo ragazzo?
2. Ha quasi sette anni.
3. Quanti anni ha Lei?
4. Ho diciotto anni.
5. Giovedì, quindici maggio.
6. Nel mille novecento quarantasei.
7. Ci sono tre mesi in ogni stagione.
8. Ci sono duecentosei pagine in questo libro.
9. L'Italia ha quasi quarantadue milioni d'abitanti.
10. In un anno bisestile ci sono trecentosessantasei giorni.

E. Translate:

1. This mountain is high.
2. This hill is low.
3. The month of February is short.
4. The air is fresh.
5. Here is a wood.
6. These leaves are nearly yellow.

7. Each season lasts three months.
8. Friday, July 10th, 1959.
9. Four hundred and thirty-eight.
10. Two thousand seven hundred and sixty.

F. Write the present indicative of:
  1. *diventare*   to become
      io divento,
      tu diventi, *etc.*

  2. *credere*   to believe
      io credo,
      tu credi, *etc.*

  3. *preferire*   to prefer
      io preferisco,
      tu preferisci, *etc.*

  4. *sentire*   to hear
      io sento,
      tu senti, *etc.*

c

LESSON IX

Reflexive Verbs and Reflexive Pronouns

Reflexive verbs are those whose subject and object are the same person or thing.

e.g. *I* wash *myself*; *she* enjoys *herself*; *it* stops *itself*.

Sometimes a verb is reflexive in Italian and not so in English; these verbs are easy to recognise in Italian as they always have the reflexive pronoun *si* (oneself) appended to the infinitive. Note that the final *-e* of the infinitive is omitted:

e.g. lavare	*to wash*
lavarsi	*to wash oneself*
divertire	*to amuse*
divertirsi	*to enjoy oneself*

Whereas the reflexive pronoun is often omitted in English, it must always be used in Italian:

e.g. Io mi preparo.	*I am getting ready.*
Lei si avvicina alla stazione.	*You are approaching the station.*

NOTE.—Not only the reflexive pronoun *si* but any of the conjunctive pronouns, except *loro* and *Loro*, may thus be appended to the infinitive of a verb:

e.g. Vado a comprarlo.	*I am going to buy it.*
Andiamo a vederli.	*We are going to see them.*
Vado a parlargli.	*I am going to speak to him.*

Here are the reflexive pronouns:

mi	*myself*
ti	*yourself*
si	*himself, herself, itself, yourself*
ci	*ourselves*
vi	*yourself, yourselves*
si	*themselves* (*m.* and *f.*), *yourselves*

Conjugation of Reflexive Verbs

PRESENT INDICATIVE

LAVARSI, *to wash oneself*

io mi lavo
tu ti lavi
egli ⎱
ella ⎬ si lava
Lei ⎰
noi ci laviamo
voi vi lavate
essi ⎱
esse ⎬ si lavano
Loro ⎰

DIVERTIRSI, *to enjoy oneself*

io mi diverto
tu ti diverti
egli ⎱
ella ⎬ si diverte
Lei ⎰
noi ci divertiamo
voi vi divertite
essi ⎱
esse ⎬ si divertono
Loro ⎰

In the negative and interrogative form of all reflexive verbs *non* is placed before the reflexive pronoun:

e.g. Io non mi diverto.   *I am not enjoying myself.*
Non si diverte Lei?   *Are you not enjoying yourself?*

Irregular Verbs—*andare, dare, fare, stare*

Having studied the present indicative of the regular verbs ending in -*are*, now let us take the *only* four irregular verbs which end in -*are*.

andare *to go*   dare *to give*   fare *to make, do*
stare   *to be (a temporary condition, health); to stay, remain*

PRESENT INDICATIVE

ANDARE *to go*	DARE *to give*	FARE *to make, do*	STARE *to be, stay*
vado	do	faccio	sto
vai	dai	fai	stai
va	dà	fa	sta
andiamo	diamo	facciamo	stiamo
andate	date	fate	state
vanno	danno	fanno	stanno

NOTE.—The third person singular of the verb *dare* has a grave accent over the vowel; and in the third person plural note the *-anno* in all four verbs.

The Conjunctive Pronoun *ne*

Another conjunctive pronoun to be studied is *ne*, meaning "some, any, some of it, any of it" *when referring to a substantive previously mentioned.* Used as an adverb, *ne* means "from there".

e.g. Ha dei libri Lei ? Sì, ne ho molti.
     Have you any books? *Yes, I have many (of them).*
     Ha delle penne Maria? Sì, ne ha due.
     Has Mary any pens? *Yes, she has two (of them).*

In English *of them* is understood, but *ne* must not be omitted in an Italian sentence when an adjective of quantity or a number follows the verb.

NOTE.—The pronouns *lo, la, li, le* and *ne* are appended to the interjection *ecco* (here is, here are, there is, there are):

e.g.	eccolo	*here he (it) is*
	eccola	*here she (it) is*
	eccoli	*here they are (m.)*
	eccole	*here they are (f.)*
	eccone	*here are some (of them)*
		or *here is some (of it)*

VOCABULARY

l'incontro	meeting	l'orologio	watch or clock
la vetrina	shop window	il genitore	parent
la compera	purchase	la biblioteca	library
il guanto	glove	la borsa	bag, purse
il colletto	collar	nuovo	new
la sciarpa	scarf	poi	then
il prezzo	price	puro	pure
l'articolo	article	verso	towards
il nailon	nylon	insieme	together
la seta	silk	davanti a	in front of
l'uscita	exit	tutt'e due	both
l'entrata	entrance	(*or* tutti e due)	
il ristorante	restaurant	tutt'e quattro	all four

ammalato	ill	fare colazione	to have lunch
alzarsi	to get up	fare una	
desiderare	to want	passeggiata	to go for a walk
incontrare	to meet	finire	to finish
fermare ⎫ fermarsi ⎭	to stop	*es*cono (*from* uscire, *irr.*)	they go out
conversare	to chat	mentre	while, whilst
riposarsi	to rest	quando	when
fare delle	to do some	Caterina	Catherine
compere	shopping	Margherita	Margaret

UN INCONTRO

Anna incontra un'amica, Maria, in città e tutt'e due fanno delle compere insieme. Si fermano davanti ad un negozio per alcuni minuti. Nella vetrina di questo negozio vedono guanti, colletti e sciarpe, ma non c'è il prezzo di questi articoli. Le due signorine entrano nel negozio e domandano il prezzo delle sciarpe. Anna desidera una sciarpa verde, di nailon, Maria ne desidera una celeste, di seta pura. Le comprano, poi vanno verso l'uscita. Mentre escono incontrano due altre amiche, Caterina e Margherita, conversano un poco insieme, poi vanno tutt'e quattro in un ristorante a fare colazione.

EXERCISES

A. Answer the following:

1. Dove vanno Anna e Maria?
2. Dove si fermano?
3. Che c'è nella vetrina?
4. Ci sono i prezzi degli articoli?
5. Che fanno le signorine?
6. Che compra Anna?
7. Che compra Maria?
8. Preferisce Lei il nailon alla seta?
9. Chi incontrano quando escono dal negozio?
10. Dove vanno tutt'e quattro?

B. Replace the infinitive by the correct form of the present indicative of each verb:

1. Questa ragazza (alzarsi) di buon'ora.
2. Rosa (comprare) molte cose.

3. Noi (divertirsi) molto.
4. Loro (ricevere) una lettera.
5. Io (finire) la lezione.
6. Lei (divertirsi) oggi.
7. Carlo (avere) dei libri.
8. Giovanni e Roberto (essere) contenti.
9. Anna e Caterina (parlare) italiano.
10. Maria (capire) questa lezione.

C. Translate:

1. I have some new gloves.   Here they are.
2. Mary has some letters.   Here they are.
3. Where are the silk scarves?
4. There they are in the window.
5. Where are you going?
6. What are you doing?
7. How are you, ladies?
8. We are all well, thank you.
9. I stay at home (a casa) every Tuesday.
10. These children are not well.

D. Place the reflexive pronoun before the verbs and translate:

1. — diverte	6. — divertite
2. — alziamo	7. — lavano
3. — divertono	8. — alzo
4. — lavate	9. — lavi
5. — alzano	10. — divertiamo

E. Translate:

1. Questo ragazzo si diverte.
2. Maria non va in città ogni giorno.
3. Questa sciarpa non è di nailon.
4. Questa lezione non è facile.
5. Questi ragazzi non stanno bene.
6. Noi ci divertiamo al mare.
7. Anna va spesso ai negozi.
8. Facciamo una passeggiata in campagna.
9. Si diverte Lei, signorina?
10. Sì, grazie, mi diverto molto.

Possessive Adjectives and Pronouns

Italian uses the possessives both as adjectives and as pronouns. They are usually preceded by the definite article, and they agree with the thing or person possessed, not with the possessor as in English.

e.g.

il mio libro	*my book*	il mio	*mine*
i miei libri	*my books*	i miei	*mine*
la sua penna	*his* or *her pen*	la sua	*his* or *hers*
le sue penne	*his* or *her pens*	le sue	*his* or *hers*

MASCULINE		FEMININE		MEANING	
singular	plural	singular	plural	adjective	pronoun
il mio	i miei	la mia	le mie	*my*	*mine*
il tuo	i tuoi	la tua	le tue	*your*	*yours*
il suo	i suoi	la sua	le sue	*his, her, its*	*his, hers, its*
il Suo	i Suoi	la Sua	le Sue	*your*	*yours*
il nostro	i nostri	la nostra	le nostre	*our*	*ours*
il vostro	i vostri	la vostra	le vostre	*your*	*yours*
il loro	i loro	la loro	le loro	*their*	*theirs*
il Loro	i Loro	la Loro	le Loro	*your*	*yours*

It will be noticed from the Table, and the examples given, that each possessive has four forms:

Masculine singular   Masculine plural
Feminine singular   Feminine plural

Il suo, la sua, may refer to four persons, *his, her, its* and *your* (polite form, frequently spelt *il Suo,* etc.).

If there is any doubt as to the person referred to, confusion may be avoided by using *di lei* ("of her") or *di lui* ("of him").

e.g. Maria legge il suo giornale. *Mary is reading her newspaper.*

But if we wish to say *Mary is reading his newspaper*, we then translate thus:

    Maria legge il giornale di lui.

The article is *not* used before the possessive when it precedes a noun denoting family relationships, provided that:

(*a*) the noun is in the singular
(*b*) the noun is not qualified by an adjective
(*c*) the noun is not a diminutive
(*d*) the possessive is not *loro* or *Loro* (their *or* your)

e.g. mia madre, mio padre	*my mother, my father*
BUT la mia buona madre	*my good mother*
la mia piccola sorella ⎫	
la mia sorellina ⎭	*my little sister*
i miei fratelli	*my brothers*
il loro padre	*their father*
la Loro madre	*your mother*

The article should be used when one is speaking of the following relations:

nonno	*grandfather*	nonna	*grandmother*
mamma	*mother*	babbo	*daddy*

The indefinite article may also be used before a possessive:

e.g. un mio libro	*a book of mine* or *one of my books*
due miei libri	*two of my books*
molti miei amici	*many of my friends*

Of is not translated.

Relative Pronouns

The most frequently used relative pronouns in Italian are *che* and *cui*:

che	*who, whom, which, that*
cui	(*to, etc.*) *whom, which*

Both are invariable and both are used for persons or things. *che* is used as subject or direct object of a verb; although often omitted in English, it may never be omitted in Italian:

e.g. la signora *che* parla   *the lady who is speaking*
     il libro *che* compro   *the book I am buying*

  cui   is used when the relative is an indirect object or when
      it is governed by a preposition:

e.g. la signora *a cui* parlo   *the lady to whom I am speaking*
     il libro *di cui* parlo   *the book of which I am speaking*

There is also another relative pronoun which refers to persons
or things, viz: *il quale* (fem. *la quale*, with the plurals *i
quali* and *le quali*). This pronoun is used instead of *che* or *cui*
to avoid ambiguity. When *il quale* is governed by a preposition, this preposition and the article combine to form one word
as already shown in Lesson VI.

e.g. La sorella del professore, alla quale ho mandato la
     cartolina.
     The professor's sister to whom I sent the postcard.

The relative pronoun *whose* is translated by *il cui, la cui*, etc.
The article agrees with the noun which follows:

e.g. Questa ragazza, il cui cane è perduto, è triste.
     This girl, whose dog is lost, is sad.

Ordinal Numbers (*continued*)

8th	ottavo	13th	tredicesimo, etc.
9th	nono	20th	ventesimo
10th	decimo	21st	ventunesimo
11th	undicesimo	22nd	ventiduesimo
12th	dodicesimo	30th	trentesimo, etc.

Ordinal numbers, except 1st to 10th, are formed by dropping
the final vowel of the cardinal number and adding -*esimo*:

e.g. *u*ndici	11	→	undicesimo	11th
d*o*dici	12	→	dodicesimo	12th
venti	20	→	ventesimo	20th, etc.

but the last vowel of 23, 33, 43, etc., being a stressed vowel,
is not omitted:

e.g. ventitrè   →   ventitreesimo
     trentatrè →   trentatreesimo, etc.

From 11th onwards the ordinals may also be translated thus:

11th   decimo primo
12th   decimo secondo
13th   decimo terzo, etc.

Remember that ordinal numbers are adjectives and must agree with the noun:

e.g. il secondo mese   *the second month*
     la prima stagione   *the first season*
     i primi giorni   *the first days*
     le prime settimane   *the first weeks*

Ordinal numbers are used in Italian without the article after names of rulers:

e.g. Enrico quinto   *Henry V*
     Pio decimo   *Pius X*

They are also used after a few words such as *canto, capitolo, volume, lezione*, etc.

e.g. Canto settimo   *Canto 7*   Volume secondo   *Volume 2*
     Capitolo quarto   *Chapter 4* Lezione nona   *Lesson 9*

Fractions

Fractions are formed as in English by using the cardinal numeral as the numerator and the ordinal numeral as the denominator:

e.g. un terzo   *one third*   quattro quinti   *four-fifths*
     tre quarti   *three-quarters*

mezzo (or *mezz'*) "half", when used as an adjective agrees with the noun:

e.g. una mezza bottiglia   una mezz'ora

but is usually invariable when the noun comes first:

e.g. una bottiglia e mezzo   un'ora e mezzo

NOTE.—The noun "half" is *la metà*.

VOCABULARY

il mercato	market	la pesca	peach
la domestica	servant	l'uva	grape, grapes
la macelleria	butcher's shop	il melone	melon
il macellaio	butcher	il cocomero	water melon
il manzo	beef	la macedonia di	
il vitello	veal, calf	frutta	fruit salad
l'agnello	lamb	il (la) nipote	nephew (niece)
il pesce	fish	l'esercizio	exercise
il pescivendolo	fishmonger	qui, qua	here
la sogliola	sole	poi	then
il merluzzo	cod	caro	dear, expensive
la triglia	mullet	crudo	raw
il legume	vegetable	cotto	cooked
la verdura	green vegetables	o	or
il pisello	pea	o . . . o	either . . . or
il fagiolino	French bean	eccetera (abb.	
lo zucchino	small marrow	ecc.)	etcetera (etc.)
gli spinaci	spinach	gradito	welcome
il fruttivendolo	fruiterer	estivo	summer (adj.)
la frutta (pl. le		mi dica	tell me
frutta)	fruit	stare a casa	to stay at home
la pera	pear	Rosa	Rose
la mela	apple	Enrico	Henry

AL MERCATO

Ogni mattina, Rosa, la domestica della signora Valli, si alza di buon'ora e va al mercato. Vicino al mercato c'è una macelleria dove Rosa compra la carne: manzo, vitello o agnello.

Quando la signora Valli desidera del pesce, Rosa lo compra dal pescivendolo: sogliola, merluzzo, triglia, ecc.

Guarda i prezzi della verdura; piselli, fagiolini, zucchini; poi della frutta: mele, pere, uva, meloni e cocomeri.

La frutta è buona per la salute, e non è cara nei mesi estivi: così ogni famiglia ne mangia molta, o cruda o cotta. La macedonia di frutta è sempre gradita, non è vero?

Ogni domenica la signora Valli prepara una macedonia di frutta e invita i suoi nipoti a fare colazione.

Buon appetito a tutti!

EXERCISES

A. Answer in Italian:

1. Chi è Rosa?
2. Dove va ogni mattina?
3. Che compra al mercato?
4. Mangia molta carne Lei?
5. Preferisce il pesce?
6. Mi dica i nomi di tre frutta.
7. E i nomi di tre legumi?
8. Dov'è la porta?
9. Dove sono i libri?
10. Dove sono le sedie?

B. Translate the word in brackets:

1. Ecco (*my*) giardino.
2. Ecco (*his*) casa.
3. Dov'è (*your*) sorella?
4. Dov'è (*their*) fratello?
5. Ecco (*my*) penna.
6. Ecco (*her*) libro.
7. Dove sono (*your*) genitori? *i vostri (i suoi)*
8. Dove sono (*his*) zii?
9. Queste sono (*her*) sorelle.
10. Questi sono (*my*) fratelli.

C. Translate:

1. The first house.
2. Chapter three.
3. Henry VIII.
4. Volume six.
5. Lesson five. *che*
6. The ladies who are speaking Italian are English.
7. The gentlemen of whom you are speaking are French. *di cui*
8. The boy to whom I give the book. *a cui*
9. The girl from whom I receive a letter. *da cui*
10. The students who are in this classroom. *che*
11. Half of this pear is for you.
12. Thirty minutes make half an hour.

D. Translate:

1. Mio fratello va alla biblioteca.
2. Scrivo l'esercizio nel mio quaderno.
3. Gli studenti studiano le loro lezioni.
4. Rispondo alla lettera di mia madre.
5. Scrivo una cartolina alla mia amica.
6. Io sto bene ma mia sorella è ammalata.
7. Il fratello del mio amico è al mare.
8. I miei genitori stanno bene.
9. Ecco l'orologio di mio padre.
10. Ecco la borsa di mia madre.

E. Translate:

1. I am not going to the market. *al*
2. My father is going to town. *in*
3. Margaret is not here today.
4. How are you, Charles and Robert? *Come state*
5. We are very well, thank you.
6. My sister is not well.
7. My brothers are in the country.
8. Our friends are at the seaside. *Le nostre amiche*
9. Have you any brothers, Mary?
10. Yes, I have two brothers and three sisters.

REVISION TEST

A. Translate and put into the plural:

1. The book
2. The door
3. The idea
4. The uncle
5. The lesson

6. The garden
7. The window
8. The name
9. The student (*m.*)
10. The student (*f.*)

B. Complete with a suitable noun:

1. Il —— italiano
2. La —— francese
3. I —— inglesi
4. Le —— gialle
5. I —— rossi

6. L' —— italiana
7. Le —— tedesche
8. I —— tedeschi
9. Molti —— lunghi
10. Molte —— lunghe

C. Translate:

1. Mary and John have many friends.
2. Ann and Robert are Italian.
3. Margaret and Charles speak French.
4. We receive a postcard.
5. You receive a letter.
6. The children are well.
7. I do not understand every word.
8. We understand this lesson because it is easy.

D. Answer in Italian:

1. Come sta, signorina (*o* signore)?
2. Dov'è il Suo quaderno?
3. Qual è il terzo mese dell'anno?
4. Qual è la quarta stagione dell'anno?
5. Di che colore è l'erba?
6. Di che colore è Suo dizionario?
7. Capisce (Lei) questa lezione?
8. Capiscono (Loro) tutte le parole?
9. Quanto fanno tredici più due?
10. Quanto fanno diciannove meno tre?

E. Translate:

1. In the box
2. On the tree
3. For the lady
4. In the garden
5. At the house
6. With the student
7. From the friend (*m.*)
8. Of the uncle
9. To the student (*f.*)
10. Of the master

F. Put the answers to Exercise E into the plural.

G. Write in letters:

28, 35, 49, 52, 69, 100, 460, 1000, 5800, 1,000,000, $\frac{2}{3}$, $\frac{1}{4}$, $\frac{3}{4}$, $\frac{1}{5}$.

H. Translate:

1. On the 6th of May
2. On the 1st of July
3. In 1949
4. The third house
5. The seventh day

I. Complete with a suitable adjective:

1. I ragazzi sono ——
2. Le ragazze sono ——
3. Questo giardino è ——
4. Questa casa è ——
5. Questi signori sono ——

J. Translate:

1. I see the master, I see him.
2. We see the mistress, we see her.
3. Mary speaks to him.
4. John speaks to her.
5. The teachers speak to us.

SECTION TWO

Formation of the Past Participle

To form the past participles of regular and some irregular verbs, change the infinitive endings as follows:

-*are* to -*ato*   -*ere* to -*uto*   -*ire* to -*ito*

e.g. parlare, parlato   potere (*irr*.), potuto
     vendere, venduto   uscire (*irr*.), uscito
     capire, capito

Note that the characteristic *e* of the verbs in the second conjugation has changed to *u*.

The compound tenses are formed by using one of the auxiliary verbs *avere* or e*ssere* together with the past participle. *Avere* is used in conjugating all transitive and some intransitive verbs.[1]

Perfect Tense

PARLARE, *to speak*

ho	parlato	(*I spoke*,	Similarly:
hai	„	*I have spoken*,	VENDERE, ho venduto, *etc.*
ha	„	etc.)	CAPIRE, ho capito, *etc.*
abbiamo	„		
avete	„		
hanno	„		

Use of the Perfect Tense

The perfect tense expresses an action which happened in the past but has reference to the present, or an action whose effects are still lasting:

e.g. Roberto ha venduto la casa.
    Robert has sold the house.
   Oggi non ho ricevuto una lettera.
    I did not receive a letter today.

[1] Transitive verbs are those which take an object, e.g. *comprare*, *vendere*, etc. Intransitive verbs are those used without an object, e.g. *arrivare*, *restare*, etc.

Disjunctive Pronouns

me	*me*
te	*you*
lui *or* esso	*him, it*
lei *or* essa	*her, it*
Lei	*you*
sè	*himself, herself, itself, themselves*
noi	*us*
voi	*you*
loro *or* essi	*them*
loro *or* esse	*them*
Loro	*you*

These pronouns, except *lui, lei, loro* when used as emphatic subject pronouns (e.g. *lui* dice che, *he* says that . . ., *loro* dicono che, *they* say that . . .) usually follow the verb and are often separated from it by a preposition.

They are most commonly used:

(*a*) after prepositions:

e.g. Ecco una lettera per me. *Here is a letter for me.*
Vado con lui. *I am going with him.*

(*b*) when a verb has two direct or indirect objects:

e.g. Abbiamo veduto te e lei oggi.
We saw (have seen) you and her today.
Parliamo a Lei ed a lui.
We are speaking to you and to him.

(*c*) for emphasis:

e.g. Questa cartolina è per loro, non per noi.
This postcard is for them, not for us.

Time—*l'ora*

In Italian the definite article precedes the hour:

e.g. Che ora è? *or* Che ore sono?   *What time is it?*
È l'una.   *It is one o'clock.*
Sono le due.   *It is two o'clock.*

è is used only with one o'clock, midday and midnight; *sono* is used with all the other hours.

e.g. È mezzogiorno.	*It is midday, noon.*
È mezzanotte.	*It is midnight.*
BUT Sono le tre.	*It is three o'clock.*
Sono le otto.	*It is eight o'clock.*

NOTE.—Both the articles and the verb agree: in *è l'una, sono le due*, etc., the articles are feminine singular *or* feminine plural, the words *ora* and *ore* being understood.

alle tre e un quarto	*at 3.15 a.m.*
alle tre meno un quarto	*at 2.45 a.m.*
alle otto e mezzo	*at 8.30 a.m.*
alle nove e venti	*at 9.20 a.m.*

The twenty-four hour system is used in Italy in official language, e.g. times of trains, theatre performances, etc., hence 4 p.m. is translated *sedici*, at 11 p.m. *alle ventitrè*.

e.g. Il treno arriva alle diciannove e dieci.
The train arrives at 7.10 p.m.

VOCABULARY

il teatro	theatre	il violoncello	cello
la giornata	day (*the whole day*)	il tenore	tenor
		il soprano	soprano
la festa	feast, rejoicing	il basso	bass
l'onomastico	saint's day *or* name day	il bis	encore
		bis	twice
il compleanno	birthday	bravo	clever, able
il biglietto	ticket	vero	true, real
il posto	seat *or* place	suonare *or*	to play (*an*
l'opera	opera	sonare	*instrument*)
il secondo	second	giocare	to play (*a game*)
il silenzio	silence	guardare	
il Direttore		attorno	to look around
d'Orchestra	the conductor	potere (*irr.*)	to be able
la direzione	direction	uscire (*irr.*)	to go out
la sorpresa	surprise	salutare	to greet
lo strumento	instrument	chiamare	to call
il pianoforte	piano	già	already
il violino	violin		

AL TEATRO

Oggi è una bella giornata per Maria Bertipacini perchè è il suo onomàstico. I suoi genitori hanno comprato i biglietti per l'opera, e hanno invitato Margherita, l'amica della loro figlia. Alle venti, tutti e quattro vanno insieme al teatro. L'opera comincia alle venti e quaranta, e finisce a mezzanotte.

Eccoli ora ai loro posti; guardano attorno alla vasta sala, vedono amici e li salutano. L'opera che danno è *La Norma* di Vincenzo Bellini.

Dopo alcuni secondi di silenzio, l'orchestra, sotto la direzione del direttore, comincia a suonare. I genitori di Maria hanno già sentito quest'opera ma per Maria e la sua amica è una vera e bella sorpresa.

EXERCISES

A. Answer the following:

1. Chi ha comprato i biglietti per l'opera?
2. Perchè?
3. Come si chiama l'amica di Maria?
4. Dove vanno tutti e quattro?
5. Quale opera vanno a vedere?
6. Di chi è quest'opera?
7. Chi ha già veduto *La Norma*?
8. Ha Lei veduto un'opera italiana?
9. Canta Lei?
10. Suona uno strumento?
11. A che ora comincia l'opera?
12. E a che ora finisce?

B. Give the past participle of:

1. finire
2. cantare
3. partire
4. ricevere
5. potere
6. suonare
7. vendere
8. servire
9. credere
10. giocare

C. Translate:

1. I have not bought the tickets for them.
2. We have sold the house to you, not to him.
3. Robert has received a letter today from her.
4. Charles and Peter received a postcard from us.
5. I have finished my lunch.
6. This child has not understood the opera.
7. Have you (*pl.*) heard this tenor?
8. These children have spoken Italian all day to me.
9. Mario has bought a piano.
10. My mother has invited some friends.

D. Translate:

1. La signora apre il libro e lo legge.
2. Il signore compra un'automobile per loro.
3. Noi abbiamo ricevuto due cartoline da lui.
4. Marherita ha suonato il violino per noi.
5. Il mio onomastico è il 15 agosto.
6. Ma il mio compleanno è il 6 ottobre.
7. Questo direttore d'orchestra è molto bravo.
8. Chi ha sentito quest'opera?

LESSON XII

Past Participles (*continued*)

The past participle of *avere* is *avuto*, and that of *essere* is *stato*. As already stated, *avere* is used to form the compound tenses of all transitive and some intransitive verbs. *Essere* is used with most intransitive verbs, all reflexive verbs and the verb *essere* itself.[1]

NOTE.—The past participles of verbs conjugated with *essere* (apart from reflexive verbs) always agree with the subject in gender and number:

e.g. Il ragazzo è arrivato.	*The boy has arrived.*
La ragazza è arrivata.	*The girl has arrived.*
I ragazzi sono arrivati.	*The boys have arrived.*
Le ragazze sono arrivate.	*The girls have arrived.*

When the verb is conjugated with *avere*, the past participle may or may not agree with its direct object. It does not agree when the object follows the verb; it usually agrees when the object precedes the verb; it must always agree when the direct personal pronoun precedes the verb.

e.g. Abbiamo comprato una casa. *We have bought a house.*
Ecco la casa che abbiamo comprata (*or* comprato).
  Here is the house we have bought.
  L'abbiamo comprata. *We have bought it.*

---

[1] The following are examples of verbs conjugated with *essere* in the compound tenses. Note that many of these are verbs of motion.

andare	*to go*	partire	*to depart*
arrivare	*to arrive*	restare	*to remain, stay*
cadere	*to fall*	rimanere (*p.p.* rimasto) *to remain*
diventare	*to become*	salire	*to go up*
entrare	*to enter*	scendere (*p.p.* sceso) *to descend*
morire (*p.p.* morto) *to die*	uscire	*to go out*
nascere (*p.p.* nato) *to be born*	venire (*p.p.* venuto) *to come*

The past participle may be used adjectivally, in which case it is known as a verbal adjective. It then follows the same rules of agreement as an adjective:

e.g. le vacanze passate a Roma   *the holidays spent in Rome*
    i libri scritti dal Manzoni   *the books written by Manzoni*

Perfect Tense of the Auxiliaries

AVERE		ESSERE	
ho avuto	*I have had,*	sono stato (a)	*I have been,*
hai avuto	etc.	sei stato (a)	etc.
ha avuto		è stato (a)	
abbiamo avuto		siamo stati (e)	
avete avuto		siete stati (e)	
hanno avuto		sono stati (e)	

Perfect Tense of Reflexive Verbs

LAVARSI, *to wash oneself*

mi sono lavato (a)   *I washed (myself),* etc.
ti sei lavato (a)
si è lavato (a)   Similarly:
ci siamo lavati (e)   DIVERTIRSI, *to enjoy oneself:*
vi siete lavati (e)   mi sono divertito (a), *etc.*
si sono lavati (e)

The past participle of reflexive verbs usually agrees with the direct object.

In the negative and the interrogative forms *non* precedes the reflexive pronoun:

e.g. Non mi sono divertito (a).   *I did not enjoy myself,* etc.
    Non ti sei divertito (a).
    Non si è divertito (a).
    Non ci siamo divertiti (e).
    Non vi siete divertiti (e).
    Non si sono divertiti (e).

    Non mi sono divertito (a) io? *Did I not enjoy myself,* etc.
    Non ci siamo divertiti (e) noi? *etc.*

Position of Adjectives (*continued*)

Most adjectives, as already stated in Lesson III, follow the noun they qualify. There are, however, adjectives of common use which usually precede the noun, unless they are modified by an adverb or used emphatically. Here is a list of these adjectives.

bello	*beautiful*	lungo	*long*
brutto	*ugly*	corto, breve	*short*
grande	*big*	giovane	*young*
piccolo	*small, little*	vecchio	*old*
buono	*good*	ricco	*rich*
cattivo	*bad, naughty*	povero	*poor*
santo	*holy*		

Some adjectives vary in meaning according to their position:

e.g. un grand'uomo	*a great man*
BUT un uomo grande	*a tall man*
una povera donna	*an unfortunate woman*
BUT una donna povera	*a poor woman*

Irregular Adjectives

The adjectives

bello	*beautiful, lovely, fine*
buono	*good*
grande	*big, great*
santo	*saint*

undergo various changes when they precede the noun.

Bello has similar forms to the definite article:

e.g. un bel cavallo	*a beautiful horse*
una bella rosa	*a beautiful rose*
un bell'albero	*a lovely tree*
una bell'isola	*a beautiful island*
un bello specchio	*a lovely mirror*
due bei bambini	*two beautiful children*
due belle rose	*two beautiful roses*
due begli alberi	*two lovely trees*

Buono in the singular has forms similar to those of the indefinite article, but it is quite regular in the plural forms:

e.g. un buon ragazzo	*a good boy*
una buona ragazza	*a good girl*
una buon'amica	*a good friend (f.)*
un buon amico	*a good friend (m.)*
un buono stipendio	*a good salary*
BUT due buoni ragazzi	*two good boys*

Grande and *santo* become *gran* and *san* before a masculine noun in the singular beginning with any consonant except *s* impure or *z*, in which case its full form is kept. They become *grand'* and *sant'* before a noun beginning with a vowel:

e.g. un gran favore	*a great favour*
un grande scrittore	*a great writer*
un grand'albero	*a large tree*
una grand'epoca	*a great epoch*
Sant'Antonio	*St. Anthony*
San Pietro	*St. Peter*
Santo Stefano	*St. Stephen*
Sant'Anna	*St. Anne*

Santo, however, is not irregular when it means "holy" or "blessed":

e.g. il santo Padre   *the Holy Father (the Pope)*

Disputano tutto il santo giorno.
They argue the whole blessed day.

NOTE.—These adjectives are always written in their full form when they come after the noun they qualify or are separated from it.

e.g. Ecco un bel duomo.	*Here is a beautiful cathedral.*
BUT Questo duomo è bello.	*This cathedral is beautiful.*
Questo duomo è molto bello.	*This cathedral is very beautiful.*

VOCABULARY

il podere	farm	l'oca	goose
al podere	on the farm	l'anitra	duck
il parente	relation	il gallo	cock
il marito	husband	la gallina	hen
la moglie	wife	il pulcino	chick
il cognato	brother-in-law	il coniglio	rabbit
la cognata	sister-in-law	la partenza	departure
il (la) cugino (-a)	cousin	l'animale	domestic animal
il contadino	peasant, farm worker	domestico	
		ogni tanto	every now and again
il cavallo	horse		
il cane	dog	mentre	while, whilst
il gatto	cat	dappertutto	everywhere
la stalla	cow-shed	conversare	to converse, chat
il bue, *pl.* buoi	ox, *pl.* oxen	seguire	to follow
la mucca	cow	il campo	field
il maiale	pig	la legna	firewood
il mulo	mule	aiutare	to help
l'asino	ass, donkey	notare	to note

AL PODERE

Il signor Moscari, fratello del padre di Carlo, abita in campagna con sua moglie e i loro due figli Roberto e Pietro. Hanno un podere, e ogni tanto Carlo ed i suoi genitori passano una giornata con i loro parenti. Mentre la madre di Carlo conversa con la sua cognata e il padre visita il podere, i tre ragazzi si divertono insieme. I due cani, Pilù e Buffi, li seguono dappertutto. A questo podere ci sono oche, anitre, galline, pulcini, conigli e gatti. I ragazzi visitano le stalle dove sono le mucche, poi vedono i maiali. Notano i buoi che lavorano nei campi ed i muli che portano la legna. Parlano con i contadini che incontrano. Che bella giornata! Carlo è sempre un po' triste quando arriva l'ora della partenza per la città.

EXERCISES

A. Answer in Italian:

1. Chi è il signor Moscari?
2. Abita in città?
3. Come si chiamano i suoi due figli?

4. Dove passano una giornata, ogni tanto, Carlo e i suoi genitori?
5. Che fa la madre di Carlo?
6. Che fa suo padre?
7. Che fanno i tre ragazzi?
8. Chi lavora bene nei campi?
9. Ha (Lei) capito bene questa lezione?
10. Chi ha capito ogni parola?

B. (a) Put the correct form of *buono* in front of the following nouns:

1. —— amico   4. —— amiche
2. —— amici   5. —— podere
3. —— amica

(b) Put the correct form of *grande* in front of the following:

1. Il —— edificio   4. Una —— biblioteca
2. La —— sala   5. Due —— uccelli
3. Un —— viaggio

C. Translate:
1. We do not live in the country.
2. Robert's father has a farm.
3. He has horses, cows, pigs and many other domestic animals.
4. This little dog follows me everywhere.
5. This donkey is called Morella.
6. There are many rabbits on this farm.
7. The children enjoyed themselves.
8. They have helped their father.
9. They got up early this morning.
10. The peasants have worked well today.

D. (a) Complete with the correct form of *bello*:

1. Un —— cielo   4. Delle —— rose
2. Una —— bambina   5. Un —— uccello
3. Dei —— fiori

(b) Complete with the correct form of *santo*:

1. —— Rita   4. —— Stefano
2. —— Giuseppe   5. —— Elisabetta
3. —— Antonio

E. Translate the words in brackets:

1. I cavalli (*that*) vediamo.
2. La ragazza (*who*) lavora bene.
3. Lo zio (*with whom*) parliamo.
4. I fiori (*that*) vedo.
5. La contadina (*of whom*) parlano.
6. L'uccello (*that*) guardo.
7. La zia (*from whom*) ho ricevuto la lettera.
8. La signora (*to whom*) ho mandato una cartolina.
9. I ragazzi (*who*) abitano in campagna.
10. I cani (*that*) sono davanti alla porta.

F. Write in full the perfect tense of the following verbs:

   parlare   ricevere   partire

Il Secondo Gioco dell'Alfabeto

This time the definitions are in Italian, but the answers to the definitions will be in alphabetical order:

1. L'ottavo mese dell'anno   a......
2. Il contrario di *alto*   b......
3. Un numero cardinale   c......
4. Una chiesa importante   d......
5. Una stagione dell'anno   e......
6. Il contrario di *difficile*   f......
7. Nome di un ragazzo   g......
8. Gli abitanti d'Italia   i......
9. Il contrario di *corto*   l......
10. Nome di una ragazza   m......
11. Un numero ordinale   n......
12. Il decimo mese dell'anno   o......
13. Una stagione dell'anno   p......
14. Quanto fanno trenta più dieci?   q......
15. Un fiore   r......
16. Un giorno della settimana   s......
17. Quanti giorni ci sono nel mese d'aprile? t......
18. Quanto fanno sedici meno cinque? u......
19. Un colore   v......
20. Un parente   z......

LESSON XIII

Demonstrative Adjectives

There are three demonstrative adjectives:

Questo	this
Codesto, also written *cotesto*, that
Quello	that

Questo	usually refers to somebody or something near the person who is speaking.
Codesto	refers to somebody or something near the person spoken to (but it is rarely used nowadays).
Quello	refers to somebody or something far from both the person who is speaking and the person spoken to.

Questo and *codesto* drop the final vowel and take the apostrophe before a noun in the singular beginning with a vowel.

e.g. questo libro	*this book*
quest'alunno (alunna)	*this pupil*
codesto quaderno	*that exercise book*
codest'inchiostro	*that ink*

Quello has various forms similar to those of the definite article and the adjective *bello* (see Lesson XII):

e.g. quel ragazzo	*that boy*
quella ragazza	*that girl*
quell'alunno (alunna)	*that pupil*
quello studente	*that student*
quei libri	*those books*
quelle signore	*those ladies*
quegli alunni ⎫ quelle alunne ⎭	*those pupils*
quegli studenti	*those students*
quegli zii	*those uncles*

Irregular Verbs—*tenere, dire*

It may interest students to know that there are approximately 7000 verbs in Italian, more than 5000 of which end in *-are*. As already stated, there are only four irregular verbs ending in *-are*, viz:

andare	*to go, p.p.* andato
dare	*to give, p.p.* dato
fare	*to do, make, p.p.* fatto
stare	*to be, stay, p.p.* stato

Having studied the present indicative of the four irregular verbs ending in *-are* (see page 67), now let us study some in *-ere* and *-ire*.

PRESENT INDICATIVE

TENERE, *to hold* (*p.p.* tenuto)   DIRE, *to say, tell* (*p.p.* detto)

tengo	dico
tieni	dici
tiene	dice
teniamo	diciamo
tenete	dite
tengono	dicono

Many of the irregular verbs ending in *-ere* and *-ire* are only irregular in certain tenses.

The verbs *leggere*, to read; *scrivere*, to write; *aprire*, to open and *chiudere*, to shut, are quite regular in the present tense, but have very irregular past participles:

leggere,	*p.p.* letto
scrivere,	*p.p.* scritto
aprire,	*p.p.* aperto
chiudere,	*p.p.* chiuso

All these verbs except *andare* and *stare* are conjugated with *avere* in the compound tenses.

e.g. Sono andato a casa ed ho letto un libro.
    I went home and read a book.
  Ho scritto la lettera e ne sono stato contento.
    I wrote the letter and was pleased with it.

VOCABULARY

il Lago Maggiore	Lake Maggiore	lontano da	far from
		numeroso	numerous
il Lago di Como	Lake Como	specialmente	especially
il Lago di Garda	Lake Garda	forte	strong, bright
la veduta	view	profondo	deep
la gita, il giro	tour, excursion	preferibile	preferable
il vaporetto	steamer	che . . .!	what a . . .!
la macchina, l'automobile	car	quanti(e)! (*in exclamations*)	what a lot of . . .!
in macchina	by car	splendere	to shine
il pullman, il torpedone	coach, touring car	leggere (*p.p.* letto)	to read
in pullman, in torpedone	by coach	scrivere (*p.p.* scritto)	to write
la galleria	tunnel, arcade	dire (*p.p.* detto)	to say, tell
la luce	light	aprire (*p.p.* aperto)	to open
il cielo	sky		
il caldo, il calore	heat	tenere (*p.p.* tenuto)	to hold
il tramonto	sunset		
il pomeriggio	afternoon	chiudere (*p.p.* chiuso)	to shut, close
la sera	evening		
stasera	this evening	si (*pron. indef.*)	one, people, they
intorno a	around	attraverso	through

I LAGHI

In Italia ci sono molti bei laghi, grandi e piccoli. Non lontano da Milano i tre laghi più importanti si chiamano Lago Maggiore, Lago di Como, e Lago di Garda. La veduta delle montagne intorno al Lago di Garda è magnifica. Si fanno belle gite con il vaporetto sul lago, o in automobile sulla strada attraverso le numerose gallerie. Quanti bei giardini con begli alberi e fiori di molti colori! La luce è forte, il bel sole splende nel cielo azzurro ed è un piacere essere vicino all'acqua. Molti fanno gite in torpedone. Con il gran caldo che fa nei mesi estivi è sempre preferibile partire la mattina di buon'ora, riposarsi durante le ore calde del pomeriggio e ritornare la sera. Spesso ci sono tramonti magnifici, specialmente nei mesi di agosto e di settembre. Siamo sempre contenti di vedere un bel tramonto.

EXERCISES

A. Translate the reading passage *I Laghi*.

B. Translate:
1. That lake is deep.
2. These steamers are not very big.
3. We have seen many beautiful flowers.
4. The sunset is beautiful this evening.
5. Have you seen Lake Garda?
6. No, but I have been to Lake Maggiore.
7. Today we are going to Lake Como.
8. It is a pleasure to visit the three lakes.
9. What a blue sky!
10. What a lot of tunnels!
11. That rose, near you, is beautiful.
12. The light is not bright today.

C. Give the third person singular of the present and perfect tense of the following verbs:

1. andare
2. dare
3. fare
4. stare
5. leggere
6. scrivere
7. dire
8. aprire
9. tenere
10. finire

D. Translate:
1. Il sole è stato forte oggi.
2. Il tramonto è magnifico stasera.
3. Ho fatto una gita in pullman.
4. Dov'è stato Lei?
5. Intorno al lago.
6. Ha (Lei) letto il giornale?
7. Sì, l'ho letto questo pomeriggio.
8. Carlo ha scritto tre cartoline.
9. Caterina ha aperto la finestra.
10. Noi abbiamo dato la lettera alla signora.
11. Che cosa ha detto Maria?
12. Che cosa ha detto, Maria?

D

E. Answer the following twenty questions on grammar:

1. How many letters are there in the Italian alphabet?
2. How many genders are there?
3. How do masculine nouns ending -o and -e form their plurals?
4. How do masculine nouns ending in -io form their plurals? Give examples.
5. What are the different forms of the definite article?
6. What are the different forms of the indefinite article?
7. How many forms has an adjective ending in -o? Give examples.
8. How many forms has an adjective ending in -e? Give examples.
9. How do nouns and adjectives ending in -co and -go form their plurals? Give examples.
10. How many conjugations of verbs are there in Italian? Give an example of each.
11. Is the present indicative of verbs ending in -ire the same for all verbs?
12. Name the subject pronouns.
13. In Italian are the subject pronouns always expressed?
14. Give all the contracted forms of the prepositions da and the definite article.
15. Which two prepositions are used separately, or may only be contracted with il and i?
16. Name the masculine possessive adjectives and pronouns in the singular and plural.
17. Name the feminine possessive adjectives and pronouns in the singular and plural.
18. Name the reflexive pronouns, and two reflexive verbs.
19. How are the past participles of regular verbs formed?
20. Name the only four irregular verbs ending in -are.

LESSON XIV

Future Tense

To form the future tense, and the conditional which will be studied later, certain endings are added to the infinitive less the final vowel. Regular verbs ending in -*are* undergo a slight change, viz. the *a* of the infinitive ending is changed to *e*. The endings of the future tense of all verbs, regular and irregular, are the same, and are as follows:

First person singular	-ò
Second person singular	-ai
Third person singular	-à
First person plural	-emo
Second person plural	-ete
Third person plural	-anno

Note the grave accent on the First and Third persons singular.

Now let us study the future tense of the three model verbs.

FUTURE TENSE

PARLARE		VENDERE	
parlerò	*I shall* or *will*	venderò	*I shall* or *will*
parlerai	*speak*, etc.	venderai	*sell*, etc.
parlerà		venderà	
parleremo		venderemo	
parlerete		venderete	
parleranno		venderanno	

CAPIRE	
capirò	*I shall* or *will understand*, etc.
capirai	
capirà	
capiremo	
capirete	
capiranno	

Some verbs have a slight irregularity in the future (and conditional) tense:

andare	*to go*	andrò
vedere	*to see*	vedrò
potere	*to be able*	potrò
also avere	*to have*	avrò

E*ssere* is very irregular; it changes the stem completely and becomes *sarò* (see below).

The other three irregular verbs in *-are* do not change the letter *a* to *e*:

dare	*to give*	darò
fare	*to do, make*	farò
stare	*to be*	starò

Future Tense of the Auxiliaries

AVERE		ESSERE	
avrò	*I shall* or *will*	sarò	*I shall* or *will*
avrai	*have*, etc.	sarai	*be*, etc.
avrà		sarà	
avremo		saremo	
avrete		sarete	
avranno		saranno	

Use of the Future Tense

(*a*) As in English, it is used to denote what is going to happen. Whereas in English the future idea is often conveyed by the present tense, in Italian the future tense must be used.

e.g. *When I am rich, I shall buy a beautiful house.*
Quando sarò ricco, comprerò una bella casa.
If Charles writes to me at the end of the month I will reply to him.
Se Carlo mi scriverà alla fine del mese io gli risponderò.

(Note, however, the conversational *Ci vado stasera.*)

(*b*) It is used to express what is probable:

e.g. *This coffee is too strong (probably) for you, Charles.*
Questo caffè sarà troppo forte per te, Carlo.

Irregular Verbs—*potere, volere, venire*

PRESENT INDICATIVE

POTERE, *to be able, p.p.* potuto

posso	*I am able, I can, I may*, etc.
puoi	
può	
possiamo	
potete	
possono	

no prep. after inf of potere ² venire.

Note the grave accent on the third person singular.

VOLERE, *to want, to be willing, p.p.* voluto

voglio	*I want, I am willing*, etc.
vuoi	
vuole (*or* vuol)	
vogliamo	
volete	
vogliono	

NOTE.—The *e* in *vuole* may be omitted:

e.g. Vuole (*or* vuol) venire con me?
    Do you want to come with me?

Vuol aspettarmi un momento?
    Will you wait for me a moment?

Egli vuol stare a casa.
    He wants to stop at home.

The future of *volere* is *vorrò, vorrai,* etc.

VENIRE, *to come, p.p.* venuto

vengo	*I come, I am coming*, etc.
vieni	
viene	
veniamo	
venite	
vengono	

The future of *venire* is *verrò, verrai,* etc. (see page 137).

Verbs in *-ciare* and *-giare* drop the *i* before *e* or *i*:

> e.g. COMINCIARE   *to begin*
>   io comincio

> BUT tu cominci, noi cominceremo, *etc.*

> VIAGGIARE   *to travel*
>   io viaggio

> BUT tu viaggi, noi viaggeremo, *etc.*

VOCABULARY

il viaggio	journey	cominciare	to begin
il passaporto	passport	decidere (*p.p.*	to decide
l'itinerario	itinerary	deciso)	
il saluto	greeting	potere	to be able
la fine	end	volere	to want
essere occupato	to be busy	venire (*p.p.*	to come
in ordine	in order	venuto)	
ecco perchè	that is why	sapere (*irr.*)	to know; *so,* I
libero	free		know
ultimamente	lately, recently	contento	pleased
sinceramente	sincerely	occupato	occupied, busy
viaggiare	to travel	l'ufficio	office
preparare	to prepare, get	domani	tomorrow
	ready	se	if

UNA LETTERA

Piazza Alberto, 43,
Londra.
4 aprile 1960.

Caro Signor Mario,

Non ho potuto visitarLa ultimamente perchè sono stato molto occupato, ecco perchè Le scrivo questa lettera.

Quando avrà le vacanze? Le mie cominceranno alla fine di luglio, avrò tre settimane quest'anno; e Lei, quante settimane avrà?

Ho deciso di fare un altro viaggio in Italia ed ho già preparato un bell'itinerario. Potrà venire con me? So che ha sempre desiderato fare un secondo viaggio in Italia.

È in *o*rdine il Suo passaporto? Io sarò in città questo s*a*bato, e se Lei sarà l*i*bero potremo parlare insieme delle nostre vacanze.

Uscirò dal mio uff*i*cio a mezzogiorno e un quarto.

Tanti saluti a Lei ed alla Sua fam*i*glia.

Sinceramente Suo,

Giovanni.

EXERCISES

A. Answer in Italian:

1. Chi ha scritto una l*e*ttera?
2. A chi è scritta?
3. Perchè Giovanni non ha potuto visitare il suo amico?
4. Quando avrà le vacanze Giovanni?
5. Quante settimane avrà?
6. Che cosa ha deciso di fare?
7. Che cosa ha preparato?
8. Quando sarà in città?
9. A che ora?
10. A chi manda i suoi saluti?

B. Complete with the future of the verb in brackets, then translate:

1. Noi (parlare) italiano.
2. Carlo (ric*e*vere) una cartolina.
3. Lei non (capire) questa l*e*ttera.
4. Roberto e M*a*rio (avere) una vacanza.
5. Io non (*e*ssere) a Londra domani.

C. Replace the dash by a subject pronoun and then translate:

1. —— venderò l'autom*o*bile.
2. —— compreremo una casa.
3. —— finirai la l*e*ttera domani.
4. —— sarete occupati.
5. —— potrà capire questa lezione.

D. Translate:

1. Mario and John will go to Italy.
2. They will travel together.
3. My holidays begin today.
4. I am going to London tomorrow.
5. John is able to speak Italian very well.
6. I can speak a little.
7. The passport is not in order.
8. We have decided to stay at home.
9. Do you want to read this letter?
10. No, thank you, I am too busy.

E. Give the first person singular of the perfect and future tenses of the following verbs:

1. preparare	6. potere
2. credere	7. viaggiare
3. finire	8. andare
4. avere	9. fare
5. essere	10. dare

LESSON XV

Conditional Tense

The conditional tense, as already stated in the previous lesson, is formed from the infinitive less the final vowel. The following endings are then added to the infinitive:

First person singular	-ei
Second person singular	-esti
Third person singular	-ebbe
First person plural	-emmo
Second person plural	-este
Third person plural	-ebbero

Note the double *m* of the first person plural which distinguishes it from the first person plural of the future tense.

As in the future tense, the *a* of the infinitive of regular verbs in -*are* must be changed to *e*.

Now let us study the conditional tense of the three model verbs.

CONDITIONAL TENSE

PARLARE		VENDERE	
parlerei	*I should* or	venderei	*I should* or
parleresti	*would speak,*	venderesti	*would sell,* etc.
parlerebbe	etc.	venderebbe	
parleremmo		venderemmo	
parlereste		vendereste	
parlerebbero		venderebbero	

CAPIRE	
capirei	*I should* or *would understand,* etc.
capiresti	
capirebbe	
capiremmo	
capireste	
capirebbero	

The conditional of the auxiliaries *avere* and *essere* has the same stem as that of the future, *avr-* and *sar-*; and to these stems the endings of the conditional, which are the same for all verbs, are added:

AVERE		ESSERE	
avrei	*I should* or	sarei	*I should* or
avresti	*would have,*	saresti	*would be,* etc.
avrebbe	etc.	sarebbe	
avremmo		saremmo	
avreste		sareste	
avrebbero		sarebbero	

Some Geographical Terms

COUNTRIES / INHABITANTS

L'Inghilterra	*England*	Gl'Inglesi	*English*
La Francia	*France*	I Francesi	*French*
L'Italia	*Italy*	Gl'Italiani	*Italians*
La Svizzera	*Switzerland*	Gli Svizzeri	*Swiss*
La Spagna	*Spain*	Gli Spagnoli	*Spaniards*
La Germania	*Germany*	I Tedeschi	*Germans*
Il Portogallo	*Portugal*	I Portoghesi	*Portuguese*
L'America	*America*	Gli Americani	*Americans*
La Russia	*Russia*	I Russi	*Russians*

CAPITALS

Londra	*London*	Madrid	*Madrid*
Parigi	*Paris*	Berlino	*Berlin*
Roma	*Rome*	Lisbona	*Lisbon*
Berna	*Berne*	Mosca	*Moscow*

NOTE.—All cities except *il Cairo* are feminine.

CARDINAL POINTS

Nouns:		Adjectives:	
il nord *or* settentrione	*North*	settentrionale	*northern*
il sud *or* mezzogiorno	*South*	meridionale	*southern*
l'est, il levante *or* l'oriente	*East*	orientale	*eastern*
		occidentale	*western*
l'ovest, il ponente *or* l'occidente	*West*	centrale	*central*

VOCABULARY

abitare	to live, dwell	la Banca	Commercial
la risposta	reply	Commerciale	Bank
la guida*	guide	ottimo	excellent
una volta	once	valido	valid
il luogo	place	distinti saluti	kind regards
il paese	country	dunque	therefore, then
il punto	cardinal point	a sabato!	till Saturday
cardinale		prossimo	next
la Riviera di	western Riviera	scorso	last
Ponente		ancora	still, yet
la Riviera di	eastern Riviera	Genova	Genoa
Levante		stamani *or*	this morning
aspettare	to wait for	stamattina	
la porta	main door	i genitori	parents
principale		i parenti	relations

*The noun *guida* is always feminine, even when referring to a man.

LA RISPOSTA

Via Trafalgar, 25,
Londra.
9 aprile 1960.

Caro Signor Giovanni,

Grazie della Sua lettera che ho ricevuta stamattina. Quest'anno anch'io avrò le vacanze alla fine di luglio e sarò molto contento di venire con Lei in Italia.

Lei ha visitato tante belle città e così sarebbe, per me, un'ottima guida. Il mio passaporto è valido ancora per due anni.

È vero che sono stato una volta in Italia, ma ho visitato soltanto la Riviera di Ponente ed alcuni bei luoghi fra Ventimiglia e Genova; non sono stato ancora nelle altre città.

Sarò libero, anch'io, sabato prossimo, dopo mezzogiorno, e L'aspetterò davanti alla porta principale della Banca Commerciale. Potrebbe fare colazione con me? Così avremmo molto tempo per parlare delle vacanze estive. A sabato dunque!

Distinti saluti ai Suoi genitori ed a Lei,

Mario.

EXERCISES

A. Answer the following:

1. Chi ha ricevuto una lettera?
2. È stato in Italia Mario?
3. Chi sarebbe una buona guida per lui?
4. Quando sarà libero?
5. Dove aspetterà il suo amico?
6. Che potrebbero fare tutti e due?
7. A chi manda dei saluti?
8. Qual è la capitale d'Inghilterra?
9. Dove abita il signor Mario?
10. Dove abita Lei?

B. Translate:

1. The English speak English.
2. The French speak French.
3. The Italians speak Italian.
4. The Germans speak German.
5. The Spaniards speak Spanish.
6. Madrid is the capital of Spain.
7. Berne is the capital of Switzerland.
8. Paris is the capital of France.
9. Rome is the capital of Italy.
10. The four cardinal points are North, South, East, West.

C. (a) Translate:

il settentrione   il mezzogiorno   l'oriente
l'occidente   centrale

(b) Put into the plural:

un Tedesco   un Inglese
uno Spagnolo   uno Svizzero
un Francese   un Americano

D. Translate:

1. I have not received a letter today.
2. We would be pleased.
3. I would be able to come.
4. They would receive a postcard.

5. We send our greetings to all.
6. This Bank is very big.
7. That Bank is small.
8. I have only seen one newspaper today.
9. The western Riviera is very beautiful.
10. We will not visit the eastern Riviera this time.

E. Write the conditional of:

(*a*) cantare   (*b*) ricevere   (*c*) finire

(*d*) avere   (*e*) *e*ssere

LESSON XVI

Irregular Plurals of Nouns

There are some nouns, mostly of Greek origin, which end in *-ca*, *-ta*, *-ma* or *-ga*, and which are masculine, forming their plural in *-i*:

e.g. il duca   *the duke*   → i duchi
    il poeta   *the poet*   → i poeti
    il poema   *the poem*   → i poemi
    il collega   *the colleague*   → i colleghi

Note also: il Papa   *the Pope*   → i Papi

There are nouns ending in *-ista* which are of both genders; these have a masculine plural in *-i* and a feminine plural in *-e*:

e.g. il pianista   *the pianist* (m.)   → i pianisti
    la pianista   *the pianist* (f.)   → le pianiste
    un artista   *an artist* (m.)   → degli artisti
    un'artista   *an artist* (f.)   → delle artiste

The 18 Regions of Italy

Italy is divided into 18 regions, each of which has its chief town.

LE REGIONI,   *the regions*   I CAPOLUOGHI, *the chief towns*

L'Italia settentrionale, *Northern Italy*

1. Il Piemonte	*Piedmont*	Torino	*Turin*
2. La Liguria	*Liguria*	Genova	*Genoa*
3. La Lombardia	*Lombardy*	Milano	*Milan*
4. L'Emilia	*Emilia*	Bologna	*Bologna*
5. Il Trentino *or* Venezia Tridentina	*Trentino*	Trento	*Trent*
6. Il Veneto *or* Venezia Euganea	*Venetia*	Venezia	*Venice*
7. La Venezia Giulia	*Venezia Giulia*	Trieste	*Trieste*

112   LIVING ITALIAN

L'Italia centrale, *Central Italy*

8. La Toscana	*Tuscany*	Firenze	*Florence*
9. Le Marche	*The Marches*	Ancona	*Ancona*
10. L'Umbria	*Umbria*	Perugia	*Perugia*
11. Il Lazio	*Latium*	Roma	*Rome*
12. Gli Abruzzi e Molise	*Abruzzi*	L'Aquila	*Aquila*

L'Italia meridionale, *Southern Italy*

13. La Campania	*Campagna*	Napoli	*Naples*
14. La Basilicata *or* Lucania	*Basilicata*	Potenza	*Potenza*
15. La Puglia *or* Le Puglie	*Apulia*	Bari	*Bari*
16. La Calabria	*Calabria*	Reggio Calabria	*Reggio Calabria*

L'Italia insulare, *Islands of Italy*

17. La Sicilia	*Sicily*	Palermo	*Palermo*
18. La Sardegna	*Sardinia*	Cagliari	*Cagliari*

Note also the following:

Il Mare Mediterraneo — *Mediterranean Sea*
Il Mare Ligure — *Ligurian Sea*
Il Mare Tirreno — *Tyrrhenian Sea*
Il Mare Ionio — *Ionian Sea*
Il Mare Adriatico — *Adriatic Sea*

VOCABULARY

la carta geografica	map	prima di	before
l'isola	island	piacere	to please
la penisola	peninsula	mi piace	I like
la catena	chain	separare	to separate
le Alpi	Alps, high mountains	circondare	to surround
		diverso	different
gli Appennini	Apennines	la preparazione	preparation
la spina dorsale	backbone	formare	to form
la regione	region	l'Austria	Austria
il capoluogo	chief town	la Iugoslavia	Jugoslavia
		cioè	that is, namely

PREPARARSI PER IL VIAGGIO

Prima di fare il loro viaggio Giovanni e Mario guardano una carta geografica d'Italia. Vedono la grande penisola con la catena delle Alpi a Nord. Le Alpi separano l'Italia dalla Francia, dalla Svizzera, dall'Austria e dalla Iugoslavia. Gli Appennini formano una spina dorsale all'Italia. Il Mare Mediterraneo circonda la penisola. Questo mare prende diversi nomi, cioè—
Mare Ligure, Mare Tirreno ad Ovest, Mare Ionio a Sud, Mare Adriatico ad Est.

Poi tutti e due studiano le diciotto regioni ed i capoluoghi.

EXERCISES

A. Translate and answer the following:

1. Che guardano Giovanni e Mario prima di fare il loro viaggio?
2. Che vedono a Nord della carta geografica?
3. Quali montagne separano l'Italia dalla Francia?
4. Che formano gli Appennini all'Italia?
5. Quale mare circonda la penisola?
6. Mi dica i nomi dei mari.
7. Mi dica i nomi di due isole.
8. Qual è il capoluogo del Lazio?
9. Qual è il capoluogo della Toscana?
10. Qual è il capoluogo dell'Emilia?

B. Put into the plural:

1. Il poeta
2. Un telegramma
3. Quella pianista
4. Quel violinista
5. Il programma
6. Il duca
7. L'artista (f.)
8. Questo poema
9. Quel pilota
10. Questo diagramma

C. Translate:

1. We are looking at a map.
2. I have visited these towns.
3. Here is a programme.
4. There is a telegram for you.

5. I like this pianist (*m.*).
6. There are some beautiful poems in this book.
7. Is there a poet in this town?
8. The chief town of Lombardy is Milan.
9. The chief town of Liguria is Genoa.
10. The chief town of Umbria is Perugia.

D. Put into the conditional:

1. Parlerò con lui.
2. Avrà una vacanza.
3. Saranno felici.
4. Venderai la casa?
5. Darò loro questo programma.
6. Non andrete a Londra?
7. Faremo una gita intorno al lago.
8. Saranno a casa?
9. Finirò il lavoro.
10. Riceveremo quella lettera domani.

E. Translate the reading passage.

F. Write in full the conditional of:

 (*a*) avere   (*b*) *essere*
 (*c*) cominciare (*d*) viaggiare

LESSON XVII

Nouns in -*cia* and -*gia*

To form the plural of nouns ending in -*cia* and -*gia* the general rules are:

(*a*) If the *i* is unstressed it is omitted in the plural, provided that *c* and *g* are preceded by a consonant or doubled:

e.g. la ma*n*cia   *the tip*   → le mance
la fa*c*cia   *the face*   → le facce
la lo*g*gia   *the balcony*   → le logge

(*b*) If the *i* is unstressed and *c* and *g* are preceded by a vowel, the plural is in -*cie* and -*gie*:

e.g. la cam*i*cia   *the shirt*   → le cam*i*cie
la val*i*gia   *the suitcase*   → le val*i*gie

(*c*) If the *i* is stressed, it is retained in the plural:

e.g. la farma*c*ia   *the chemist*   → le farmac*i*e
la bu*g*ia   *the lie, falsehood* → le bug*i*e

Irregular Verbs—*dovere, salire, uscire, scendere*

dovere   *to have to, to owe, to be obliged*
salire   *to ascend, go up*
uscire   *to go out*
scendere   *to descend* is regular in the present indicative.

PRESENT INDICATIVE

DOVERE *p.p.* dovuto	SALIRE *p.p.* salito
devo *or* debbo *I must, I have to,*	salgo *I go up,* etc.
devi *etc.*	sali
deve	sale
dobbiamo	saliamo
dovete	salite
de*v*ono *or* de*b*bono	sa*l*gono

USCIRE *p.p.* uscito		SCENDERE *p.p.* sceso	
esco	*I go out*, etc.	scendo	*I descend*, etc.
esci		scendi	
esce		scende	
usciamo		scendiamo	
uscite		scendete	
escono		scendono	

NOTE.—*salire*, *scendere* and *uscire* are conjugated with *essere* in the compound tenses.

VOCABULARY

la partenza	departure	andare avanti	to go forward *or* in front
il biglietto	ticket		
il tassì (*or* taxi)	taxi	mettere (*p.p.* messo)	to put
l'autista (*m.*)	chauffeur		
la stazione	station	non ... (*verb*)	
il facchino	porter	... che	only, but
la mancia	tip	Le piace?	do you like?
la rete	luggage rack	mi piace	I like
la valigia	suitcase	non mi piace	I do not like
il viaggiatore	passenger, traveller	la freccia	arrow
		la ciliegia	cherry
seconda classe	second class	la provincia	province
il posto		la doccia	shower-bath
riservato	reserved seat	l'arancia	orange
il numero	number	essere di	to belong to
buon viaggio!	pleasant journey!	cortese	courteous, polite
seguire	to follow, continue	tardi	late

LA PARTENZA

Giovanni e Mario sono pronti a partire, ora aspettano il tassì.

Mario. Il campanello suona.

Giovanni. Sarà l'autista. (*Prendono le valigie e salgono sul tassì.*)

Mario. (*All'autista.*) Alla stazione Victoria.

Giovanni. In meno di dieci minuti ci saremo; dobbiamo preparare i passaporti ed i biglietti.

Mario. A che ora parte il treno?

Giovanni. Alle tredici e trenta.

Mario. C'è ancora tempo, non sono che le tredici e cinque ed ecco la stazione!

(*Giovanni paga l'autista e un facchino prende le valigie.*)

Giovanni. (*Al facchino.*) Il treno per Folkestone.

Il Facchino. Hanno posti riservati?

Giovanni. Sì, di seconda classe, ecco i numeri, 32 e 34. (*Il facchino va avanti, sale sul treno e trova i loro posti. Giovanni e Mario devono mostrare i passaporti ed i biglietti e poi seguono il facchino.*)

Il Facchino. Ecco i Loro posti, signori; ho messo le valigie sulla rete.

Giovanni. Grazie. (*Gli dà una mancia.*)

Il Facchino. Grazie—e buon viaggio!

(*Dieci minuti più tardi il treno parte.*)

(*Segue*)

EXERCISES

A. Answer in Italian:

1. Dove vanno Giovanni e Mario quando il tassì arriva?
2. Chi prende le loro valigie alla stazione?
3. Dove mette le valigie il facchino?
4. Sono riservati i loro posti sul treno?
5. Che cosa danno Giovanni e Mario al facchino?
6. A che ora parte il treno per Folkestone?
7. Viaggiano in prima classe Giovanni e Mario?
8. Che dice il facchino ai nostri viaggiatori?
9. Le piace viaggiare, signore?
10. Fa (Lei) un viaggio tutti gli anni?

B. Give the first person singular and plural of the following verbs in the future and the conditional:

1. dare	6. salire
2. andare	7. uscire
3. preparare	8. dire
4. prendere	9. seguire
5. partire	10. viaggiare

C. Give the opposites of the following verbs:
- (a) 1. andare
  2. arrivare
  3. comprare
  4. entrare
  5. salire
- (b) Put into the plural:
  1. la freccia
  2. la ciliegia
  3. la provincia
  4. l'arancia
  5. la farmacia

D. Translate:
1. I am waiting for my friend.
2. Where is the taxi?
3. Here it is.
4. I must prepare my suitcase.
5. My passport is in order.
6. Here are the tickets.
7. It is nearly midday.
8. The train leaves at 1.0 p.m.
9. This porter is very polite.
10. The train for Folkestone has left.

E. Translate:
1. Vado a comprare delle arance.
2. Questa valigia è del signor Monti.
3. I viaggiatori danno delle mance ai facchini.
4. Dobbiamo seguire questo facchino.
5. Io andrò avanti.
6. Non mi piace questo posto.
7. Qual è il nostro treno?
8. Sarà quello.
9. Questo facchino riceverà una buona mancia.
10. Ecco il suo passaporto, dov'è il mio?

LESSON XVIII

Orthographic Changes in certain Verbs

As already stated, verbs ending in -*ciare* and -*giare* drop the *i* before another *e* or *i*: but all other verbs ending in -*iare* drop the *i* only before another *i*:

e.g. studiare *to study* (io) studio
                            (tu) studi
                            (noi) studiamo

BUT studieremo, *we shall study*

Verbs ending in -*care* and -*gare* take an *h* between

| c and e | g and e |
| c and i | g and i |

to retain the hard sound of the infinitive. *Cercare* (to look for) and *pagare* (to pay, pay for) are typical examples.

PRESENT INDICATIVE

CERCARE		PAGARE	
(io) cerco	*I am looking for,*	(io) pago	*I pay,* etc.
cerchi	etc.	paghi	
cerca		paga	
cerchiamo		paghiamo	
cercate		pagate	
cercano		pagano	

Whereas in the present indicative the *h* appears only in the second person singular and the first person plural, it appears in all the persons of the future and conditional:

cercherò, *etc.*   *and* cercherei, *etc.*
pagherò, *etc.*   *and* pagherei, *etc.*

This orthographic change only occurs in verbs of the first conjugation: compare the verb *leggere*, to read:

leggo, leggi, legge, *etc.*

There is one important rule to note regarding verbs ending in -*cere*—an *i* is inserted before the *u* of the past participle:

e.g. conoscere   *to know*   *p.p.* conosciuto
     piacere   *to please* *p.p.* piaciuto

Negative Expressions

non	....	niente	
or non	....	nulla	} *nothing*
non	....	mai	*never*
non	....	più	*no more, no longer*
non	....	nessuno	*nobody, no one*
non	....	che	*only, but*
non	....	nè ... nè	*neither . . . nor*
non	....	~~mica~~	*not, not at all* *colloquial*

In an Italian sentence two negatives are ~~often~~ used together but they convey a single negative idea, not an affirmative as in English.

e.g. Margherita non capisce niente.
    Margaret does not understand anything.
    Carlo non ha mai veduto questo città.
    Charles has never seen this town.
    Caterina non ha nè fratello nè sorella.
    Catherine has neither brother nor sister.

Sometimes these negative expressions are used without *non* but in this case they must precede the verb:

e.g. ~~Mai scrivo~~. *I never write* (= non scrivo mai).
    Nulla vediamo. *We see nothing* (= non vediamo nulla).
    Nessuno viene. *No one comes.*

VOCABULARY

il giornale	newspaper	il controllo	control
la rivista	magazine	la Manica	Straits of Dover, English Channel
la costa	coast		
la visita	visit	il segno	sign
ia dogana	customs	il pezzo	piece
il doganiere	customs officer	il gesso	chalk

il piroscafo	steamer	prendere, *p.p.*	to take
far domande	to ask questions	preso	
allora	then	lasciare	to leave
soltanto		cercare	to look for
solo	only	pagare	to pay for
solamente		richiedere	to require
scendere, *p.p.*	to descend, go	il finestrino	carriage window
sceso	down	fra	in, within

DA LONDRA A FOLKESTONE

Giovanni. Ora cominciamo il nostro viaggio. Ha portato dei giornali, non è vero?

Mario. Sì, eccoli! Ho portato anche delle riviste, eccole.

Giovanni. Grazie.

Mario. Prego; fra due ore saremo a Folkestone, non è vero?

Giovanni. Sè, e poi ci sarà la visita alla dogana.

Mario. E dovremo aprire le valigie?

Giovanni. Non sempre, fanno soltanto domande, ma c'è il controllo dei passaporti che richiede molto tempo.
(*Tutti e due leggono i giornali.*)

Mario (*che guarda dal finestrino*). Io vedo la Manica.

Giovanni. Siamo quasi arrivati allora, come passa il tempo!
(*Il treno si ferma, i nostri viaggiatori si preparano, scendono dal treno e vanno alla dogana. La visita non richiede tanto tempo; il doganiere fa un segno misterioso su ogni valigia, con un pezzo di gesso, e poi Giovanni e Mario salgono sul piroscafo.*)

Mario. Presto lasceremo la costa inglese e fra un'ora vedremo la costa francese.

(*Segue*)

EXERCISES

A. Answer the following:

1. Chi ha portato dei giornali?
2. Quando arriveranno a Folkestone i viaggiatori?
3. Dobbiamo aprire sempre le valigie alla dogana?
4. Che vede, Mario, dal finestrino?
5. Che fanno i viaggiatori?

6. Dove vanno poi?
7. Richiede poco tempo la visita alla dogana?
8. Che fanno i doganieri su ogni valigia?
9. E poi dove salgono i viaggiatori?
10. Quando vedranno la costa francese?

B. Give the first persons singular and plural of the following verbs in the present indicative:

    1. cercare   4. pagare
    2. fare   5. andare
    3. salire

C. Translate:

1. I will read this newspaper.
2. What are you reading, John?
3. I am reading an Italian magazine.
4. At what time will this train arrive at Folkestone?
5. In an hour, sir.
6. We have almost arrived.
7. The train is stopping.
8. I can only find one magazine.
9. Here is the other one.
10. There is nothing in this box.

D. Translate:

1. Dove sono andati i facchini?
2. Mi piace il mare quando è calmo.
3. Io preferisco il mare grosso.
4. Eccoli, salgono sul piroscafo.
5. Questo piroscafo non è grande.
6. Partiremo alle quindici.
7. A che ora arriveremo a Folkestone?
8. Verso le quindici e venti.
9. Ecco la mia valigia, dov'è la sua?
10. Eccola, vicino al facchino.

E. Conjugate, in the interrogative form, the future of:

    (a) arrivare   (b) cercare

LESSON XIX

More Nouns with Irregular Plurals

Nouns of one syllable, those ending in an accented vowel, and a few ending in a consonant (usually of foreign origin) have no distinctive change of termination in the plural:

e.g.	il re	*king*	→ i re
	il dì	*day (poet.)*	→ i dì
	la città	*town*	→ le città
	il lapis	*pencil*	→ i lapis
	l'autobus	*motor bus*	→ gli autobus
	il bar	*bar*	→ i bar
	il caffè	*café, coffee*	→ i caffè

Note also:

	la frutta	*fruit*	→ le frutta
	l'uovo	*egg*	→ le uova
	il lenzuolo	*sheet*	→ le lenzuola
	un centinaio	*about a hundred*	→ centinaia, *hundreds*
	un migliaio	*about a thousand*	→ migliaia, *thousands*
	il dito	*finger*	→ le dita
	il braccio	*arm*	→ le braccia
	la moglie	*wife*	→ le mogli
	il muro	*wall (of city)*	→ le mura
BUT	l'uomo	*man*	→ gli uomini

Irregular Verbs—*bere, sapere, conoscere*

BERE (*contracted from* bevere), *to drink*
The present tense is quite regular:

bevo	*I am drinking*, etc.
bevi	
beve	
beviamo	
bevete	
bevono	

But note the stem of the future which is irregular:

berrò	*I shall drink*, etc.
berrai	
berrà	
berremo	
berrete	
berranno	

The conditional endings are added to the stem of the future:

berrei, berresti, *etc.*

SAPERE	*to know a fact* p.p. saputo
CONOSCERE	*to be acquainted with people, places*, etc.
	p.p. conosciuto

PRESENT INDICATIVE

so	conosco
sai	conosci
sa	conosce
sappiamo	conosciamo
sapete	conoscete
sanno	conoscono

Note that *sapere* can also mean "to know how to", as in the following example with *spiegarsi*:

so spiegarmi	*I know how to explain myself*, etc.
sai spiegarti	
sa spiegarsi	*Similarly,*
sappiamo spiegarci	so nuotare *I know how to*
sapete spiegarvi	*swim*
sanno spiegarsi	

VOCABULARY

la traversata	crossing	fare la fila	to form a queue
il bar	bar	il ponte, la	
la sigaretta	cigarette	coperta	deck
il fiammifero	match	a bordo	on board
il cerino	wax match	la macchina	camera
la fila	queue, line	fotografica	

fare una fotografia	to take a photograph	subito	at once
visibile	visible	dimenticare	to forget
sembrare	to seem	andiamo	let us go
bere	to drink	pesante	heavy
costare	to cost	leggero	light
evitare	to avoid	la fame	hunger
rallentare	to slow down	aver fame	to be hungry
sbarcare	to disembark	la sete	thirst
		aver sete	to be thirsty

LA TRAVERSATA DELLA MANICA

Giovanni. Come è calma la Manica oggi. Sembra un lago!

Mario. Quanti viaggiatori! Dove vanno tutti?

Giovanni. Alcuni andranno in Francia, altri in Svizzera o in Italia.

Mario. Quanto dura questa traversata?

Giovanni. Un'ora e venticinque minuti. Desidera bere qualche cosa?

Mario. Sì, andiamo al bar. Allo stesso tempo potremo comprare sigarette e cerini: le sigarette costano meno sul piroscafo.

Giovanni. Non dimentichiamo che ci sarà un altro controllo di passaporti prima di arrivare a Calais, fatto a bordo.

Mario. Possiamo andare subito all'ufficio.

Giovanni. È una buon'idea! Così eviteremo di fare la fila.

Mario. Dov'è la mia macchina fotografica? Vorrei fare alcune fotografie prima di sbarcare. Vedo facchini francesi che si preparano a venire a bordo.

Giovanni. Il piroscafo rallenta, dobbiamo prepararci anche noi. (*A Calais i facchini salgono sul piroscafo per aiutare i viaggiatori con le loro valigie. Dopo una visita alla dogana francese i viaggiatori salgono sul treno continentale.*)

(*Segue*)

EXERCISES

A. Answer the following:

1. È sempre agitato il mare?
2. Quali paesi visiteranno i viaggiatori?

3. Chi des*i*dera bere qualche cosa?
4. Dove vanno Giovanni e Mario?
5. Che comprano al bar?
6. Perchè comprano sigarette?
7. Dove ci sarà un controllo di passaporti?
8. Per evitare di fare la fila, che faranno Giovanni e Mario?
9. Che vorrebbe fare Mario prima di sbarcare?
10. Che fanno i facchini francesi?

B. Give the third persons singular and plural of the following
   verbs in the future tense:

    1. evitare   4. bere
    2. spiegare   5. andare
    3. stare

C. Put into the plural:

  1. Quel re   6. L'amica inglese
  2. Quella città   7. Una rivista tedesca
  3. Quell'uomo   8. Un viaggiatore svizzero
  4. Un uovo   9. Una macchina fotografica
  5. L'amico francese   10. Un artista italiano

D. Translate:

1. Do you want any cigarettes?
2. Yes, and some matches too.
3. How much do they cost?
4. I do not know, we shall ask the price.
5. Do you know that lady?
6. Yes, I met her in London.
7. These suitcases are not heavy.
8. Mine is very light.
9. This pianist (*f.*) plays well.
10. This town is very modern.
11. Are you hungry, John?
12. No, but I am thirsty.

E. Conjugate in the conditional:

    (*a*) sbarcare   (*b*) fare

Adverbs

We have already met several adverbs in the previous lessons:

e.g.	molto	*very; very much*	sempre	*always*
	poco	*little*	oggi	*today*
	bene	*well*	di solito	*usually*
	quasi	*almost*	sì	*yes*
	dove	*where*	no	*no*
	davanti	*in front*	non	*not*

As a rule the adverb is placed immediately after the verb, except *non* which always precedes the verb.

The adverb "only" may be rendered by *non* in front of the verb and *che* after it, or by *solo, soltanto* or *solamente*:

e.g. Non ho che ⎫
Ho solo ⎪
Ho soltanto ⎬ due fratelli.   *I have only two brothers.*
Ho solamente ⎭

The adverb "ago" is rendered by *fa*.

Formation of Adverbs

Adverbs of manner are usually formed by adding *-mente* to the feminine singular of the adjective:

e.g. caro, cara → caramente   *dearly*
   felice   → felicemente   *happily*

If, however, the adjective ends in *-le* or *-re*, the final vowel is dropped before *-mente* is added:

e.g. facile   → facilmente   *easily*
   particolare → particolarmente *particularly*

unless there are two consonants preceding the vowel, in which case *-mente* is added to the adjective itself:

e.g. folle   → follemente   *madly*

Impersonal Verbs

True impersonal verbs are used only in the third person singular. Many of these verbs pertain to the weather.

e.g.	piovere	to rain;	piove	it is raining
	tonare or tuonare }	to thunder;	tuona	it is thundering
	lampeggiare	to lighten;	lampeggia	it lightens, there is lightning
	gelare	to freeze;	gela	it is freezing

They are usually conjugated with the auxiliary essere in the compound tenses (piovere may take avere or essere):

e.g. è (ha) piovuto *it rained*   è gelato   *it froze*

Besides these true impersonal verbs, there are also impersonal expressions formed with certain verbs:

e.g. FARE	fa caldo	*it is warm*	ha fatto caldo, *it was warm*, etc.
	fa freddo	*it is cold*	
	fa bel tempo	*it is fine* (*weather*)	
TIRARE	tira vento	*it is windy*	ha tirato vento,
ANDARE	va bene }	*it is all right*	*it was windy*
STARE	sta bene }		

NOTE.—*Fare* and *tirare* are conjugated with *avere* in the compound tenses.

Of other impersonal verbs the most common are:

BISOGNARE	*to be necessary*	
bisogna	*it is necessary*	
BASTARE	*to be enough, to suffice*	
basta	*it is enough*	
SEMBRARE or PARERE }	*to seem, to appear*	
sembra or pare }	*it seems*	
PIACERE	*to please*	
piace	*it pleases*; piacciono (*pl.*), *they please*	

A sentence such as "I like this flower" is translated *Mi piace questo fiore*, lit. "This flower pleases me".

BUT "I like these flowers" must be translated *Mi piacciono questi fiori*, lit. "These flowers please me".

NOTE.—The use of the impersonal verb with all the conjunctive pronouns:

mi piace		*I like*	
ti piace		*you like*	
gli piace		*he likes*	
le piace		*she likes*	
Le piace	questa casa	*you like*	*this house*
ci piace		*we like*	
vi piace		*you like*	
piace loro		*they like*	
piace Loro		*you like*	
mi piacciono		*I like*	
ti piacciono	queste case	*you like*	*these houses*
etc.		etc.	

NOTE.—Non mi piace (piacciono) . . . , *I do not like* . . .
BUT mi dispiace, *I am sorry*, lit. *it displeases me*.

The impersonal verb SEMBRARE, *to seem*, with the conjunctive pronouns.

mi sembra		*me*
ti sembra		*you*
gli sembra		*him*
le sembra		*her*
Le sembra	*It seems to*	*you*
ci sembra		*us*
vi sembra		*you*
sembra loro		*them*
sembra Loro		*you*

The plural form is:

mi sembrano   *they seem to me*, etc.

The impersonal verb TOCCARE, *to be the turn of*, used with the expression, A chi tocca? *Whose turn is it?*

Note the disjunctive pronouns.

tocca a me		*my turn*
tocca a te		*your turn*
tocca a lui		*his turn*
tocca a lei		*her turn*
tocca a Lei	*it is*	*your turn*
tocca a noi		*our turn*
tocca a voi		*your turn*
tocca a loro		*their turn*
tocca a Loro		*your turn*

VOCABULARY

il risotto	savoury rice dish	bastare	to be enough
gli gnocchi	very small dumplings	piacere	to please
		scommettere	to bet
la bistecca	steak	alla	in the manner of
l'abbacchio	young roast lamb	Chianti	red or white wine of Chianti, a district in Tuscany
l'agnello	lamb		
il rosmarino	rosemary		
basta!	that is enough! that will do!	Valpolicella	a noted red wine of the province of Verona
semplicemente	simply		
spumante	sparkling	Moscato	wine made from muscatel grapes
noto	noted		
tenero	tender	Orvieto	the white wine of Orvieto, town in Umbria
timido	timid, shy		
regolare	regular		
costare	to cost	Asti Spumante	sparkling wine of Asti, town near Turin; Italian champagne
assaggiare	to taste		
arrostire	to roast		
arrosto	roast (*meat*)		
dolce	sweet	Montefiascone	a town near Rome
costoso	expensive		
secco	dry	la sciampagna *or* lo "champagne"	champagne
scelto	choice (*adj.*)		
provare	to try	due giorni fa	two days ago
consistere	to consist		

SUL TRENO CONTINENTALE

Giovanni. Eccoci finalmente sul treno continentale. Domani
saremo in Italia.

Mario. Quando sarò in Italia vorrò provare molti piatti
italiani; sa il nome di qualcuno?

Giovanni. Certo, per esempio
Risotto alla milanese
Gnocchi alla genovese
Bistecca alla fiorentina
Abbacchio alla romana.

Mario. Ho già assaggiato i primi tre piatti, ma che cosa è
l'abbacchio alla romana?

Giovanni. È l'agnello arrosto con rosmarino; è buonissimo ed
è molto tenero.

Mario. Saprà anche i nomi di vini scelti, scommetto!

Giovanni. Eccone alcuni, Chianti, Valpolicella, Moscato,
Orvieto ed il famoso Est! Est! Est! e poi non dimentichiamo l'Asti Spumante, lo "champagne" italiano.

Mario. Mi dica, per favore, che cosa è Est! Est! Est!

Giovanni. Un vino noto, di Montefiascone; è buono ma forte.

Mario. Basta! Mi fa venire sete.

(Segue)

EXERCISES

A. Answer the following:

1. Che farà Mario quando arriverà in Italia?
2. Le piace il risotto alla milanese, signore?
3. Le piacciono gli gnocchi alla genovese?
4. Che cosa è l'abbacchio alla romana?
5. Preferisce il vino rosso o il vino bianco?
6. È sempre tenera la carne?
7. Conosce (Lei) molte città italiane?
8. Sa Lei che ora è adesso?
9. A che ora parte (Lei) da casa la mattina?
10. A che ora arriva in ufficio?
11. Le piace viaggiare in treno?
12. Preferisce viaggiare in macchina?

B. Form adverbs from the following adjectives:

1. fortunato
2. difficile
3. timido
4. regolare
5. folle

C. Translate:

1. I like this view.
2. I do not like these postcards.
3. Do you like these colours?
4. I prefer this colour to that one.
5. This wine is very good.
6. How much does it cost?
7. It is not very expensive.
8. Do you prefer a sweet wine?
9. I like Asti Spumante very much.
10. I like nearly all wines.

D. Put into the plural:

1. Un vino secco.
2. Una bistecca tenera.
3. Questo vino è buono.
4. Quella sigaretta mi piace.
5. Questa veduta mi sembra bella.

E. (a) Translate:

1. It seems to him.
2. It seems to us.
3. Does it seem to them?
4. Is this enough?
5. These are not enough.

(b) Conjugate in the negative form the conditional of *sapere*.

REVISION TEST

A. Give the past participle of:

1. amare
2. fare
3. bere
4. leggere
5. scrivere
6. servire
7. prendere
8. *essere*
9. dire
10. aprire.

B. Change the verbs in the following sentences to the present perfect, and translate:

1. Questo studente lavora bene.
2. Maria e Caterina scrivono male.
3. Roberto è in campagna.
4. I ragazzi partono oggi.
5. Carlo cerca il suo cane.

C. Translate the word in brackets:

1. Giuseppe non dice (*anything*).
2. Una settimana (*ago*)
3. La casa è (*in front of*) il lago.
4. (*There is*) una chiesa (*near to*) la scuola.
5. (*That*) albero è magnifico.

D. Translate:

1. I have only one brother.
2. Margaret has neither uncle nor aunt.
3. We have nothing in this basket.
4. Paul no longer studies English.
5. We have never seen these lakes.

E. Put into the plural:

1. il violinista
2. la pianista
3. l'uovo
4. quell'uomo
5. quella città
6. l'autobus
7. il re
8. la mia mano
9. il braccio
10. questa frutta

134   LIVING ITALIAN

F. Give the opposites:

1. rispondere
2. partire
3. uscire
4. salire
5. andare

6. la settimana scorsa
7. il primo giorno
8. davanti a
9. sopra la tavola
10. lontano dalla stazione

G. Insert an object pronoun and translate:

1. —— vedo.
2. —— prendiamo.
3. —— avrà.
4. —— faremo.
5. —— parlo.

6. —— piace.
7. —— farà.
8. —— sembra.
9. —— comprerebbe.
10. —— bastano.

H. Translate:

1. This telegram is for her.
2. These letters are for me.
3. That postcard will be from him.
4. Margaret has been with us.
5. Paul will not go with you (2nd per. sing.).

I. (*a*) Form adverbs from the following adjectives:

1. sincero
2. utile
3. triste

4. generoso
5. particolare

(*b*) Conjugate the following:

Non sarò a casa domani.
Vorrei una vacanza.

J. (*a*) Write the perfect tense of *divertirsi*.

(*b*) Write the future tense of *alzarsi*.

SECTION THREE

LESSON XXI

The Gerund

The gerund corresponds to the English present participle and it is invariable.   To form the gerund:

-ando is added to the stem of verbs ending in *-are*
-endo is added to the stem of verbs ending in *-ere* and *-ire*

e.g. parlare	parlando	*speaking*
vendere	vendendo	*selling*
capire	capendo	*understanding*

The Italian gerund is not governed by a preposition or a conjunction:

e.g. "When buying" is translated by *comprando* alone.
"While reading" is translated by *leggendo* alone.
"On saying" is translated by *dicendo* alone.

Note, however, that the endings *-ando* and *-endo* are added to the original stem of verbs which have a contracted form:

e.g. dire   (contracted from d*i*cere), dicendo
fare   (contracted from f*a*cere), facendo
bere   (contracted from b*e*vere), bevendo

The Progressive Construction

The gerund is sometimes used with the verbs *stare* and *andare* (*stare* being more commonly used), forming a progressive construction and implying more emphasis:

| e.g. sto leggendo | *I am reading* |
| stiamo parlando | *we are speaking* |

Besides the gerund some Italian verbs have a present participle ending in *-ante*, pl. *-anti*, and *-ente*, pl. *-enti* which is either a noun or an adjective:

| e.g. un insegnante | *a teacher* |
| la Torre Pendente | *the Leaning Tower* |

Irregular Verbs—*mettere, chiudere, venire*

Many irregular verbs are irregular only in the past participle and the past definite (see Lesson XXIV).

mettere	*to put*	*p.p.* messo
chiudere	*to close*	*p.p.* chiuso
venire	*to come*	*p.p.* venuto

The present, the future and the conditional of many irregular verbs are regularly formed.

PRESENT	FUTURE	CONDITIONAL
metto, *etc.*	metterò, *etc.*	metterei, *etc.*
chiudo, *etc.*	chiuderò, *etc.*	chiuderei, *etc.*

Note the irregular forms of VENIRE, to come.

PRESENT		FUTURE		CONDITIONAL	
vengo	*I come, am*	verrò	*I shall*	verrei	*I would*
vieni	*coming,* etc.	verrai	*come,* etc.		*come,* etc.
viene		verrà			
veniamo		verremo			
venite		verrete			
vengono		verranno			

NOTE.—*Mettere* and *chiudere* are conjugated with *avere* in the compound tenses, but *venire* is conjugated with *essere*.

mettere	ho messo	*I put,* etc.
chiudere	ho chiuso	*I closed,* etc.
BUT venire	sono venuto(a)	*I came,* etc.

The Human Body—*il corpo umano*

la testa *or* il capo	*head*
il capello, i capelli	*hair*
la fronte	*forehead*
l'occhio, gli occhi	*eye(s)*
il naso	*nose*
la guancia, le guance	*cheek(s)*
la bocca, le bocche	*mouth(s)*
il dente	*tooth*
il labbro, le labbra	*lip(s)*

il mento	chin
l'orecchio, le orecchie	ear(s)
il ginocchio, le ginocchia	knee(s)
il membro, le membra	limb(s)
il collo	neck
la gola	throat
la spalla	shoulder
il braccio, le braccia	arm(s)
la mano, le mani	hand(s)
il dito, le dita	finger(s)
la gamba	leg
il piede	foot
il cuore	heart

As seen from this vocabulary, certain nouns, mostly pertaining to the human body, are *masculine* in the singular and *feminine* in the plural.

Note the following expressions with *avere*:

aver mal di testa *or* mal di capo		*a headache*
aver mal di denti	*to have*	*a toothache*
aver mal di gola		*a sore throat*
aver male a un dito		*a sore finger*
aver male agli occhi		*sore eyes* or *eye trouble*

VOCABULARY

il vagone ristorante	Restaurant Car	a causa di	on account of
lo sportello	carriage door	seguente	following
il paesaggio	scenery	di solito	usually
la Superba	The "Mighty", "Superb"	di nuovo	again
		montagnoso	mountainous
la ricchezza	wealth	collinoso	hilly
un palazzo	palace, large building	commerciale	commercial
		importante	important
il corridoio	corridor	l'organo	organ
il porto	port	vitale	chief, vital
la nave	ship	udire	to hear
la vista	view, sight	stare per	to be about to
fino a	as far as	bellissimo	very beautiful
		dormire	to sleep

L'ARRIVO IN ITALIA

Mario (*la mattina seguente*).   Buon giorno Giovanni, ha
   dormito bene?

Giovanni.   Sì, ben*i*ssimo, di solito non dormo molto in treno.
   (*Guardando dal finestrino*.)   Siamo a Torino.

Mario.   Come si chiama questa regione d'It*a*lia?   È bell*i*ssima.

Giovanni.   Il Piemonte, è una regione mon**tagn**osa e collinosa.
   Fra due ore arriveremo a Genova.

Mario.   Genova, la *Superba*!

Giovanni.   Sa (Lei) perchè gl'Italiani la chiamano la *Superba*?

Mario.   No, perchè?

Giovanni.   A c*a*usa delle ricchezze dei suoi bei palazzi.

Mario. È il primo porto commerciale d'Italia, non è vero?

Giovanni. Sì, ed è molto importante. (*Apre lo sportello e va nel corridoio.*) Ma eccoci quasi arrivati! Ora siamo in un'altra regione d'Italia; la Liguria, e Genova è al centro di questa regione, fra la Riviera di Levante e la Riviera di Ponente. Vede quelle grandi navi? Vanno fino all'America.

Mario. Partiamo di nuovo. Ecco un campanello!

Giovanni. Sarà ora di andare al vagone ristorante per la prima colazione. Dal finestrino avremo una bella vista del mare.

(*Segue*)

EXERCISES

A. Answer the following:

1. Ha dormito bene Giovanni?
2. In quale regione sono adesso?
3. Com'è questa regione?
4. Perchè gl'Italiani chiamano Genova la *Superba*?
5. Chi ha aperto lo sportello?
6. In quale regione si trova Genova?
7. Quali sono le due Riviere?
8. Fino a dove vanno le grandi navi?
9. Dove vanno i viaggiatori quando il treno riparte?
10. Che fanno nel vagone ristorante?

B. Give the third persons singular and plural of the following verbs, in the conditional:

1. mettere	4. chiudere
2. leggere	5. venire
3. dovere	

C. Put into the plural:

1. l'occhio celeste	6. la mano
2. la bocca	7. l'orecchio
3. la guancia	8. l'uovo
4. la moglie	9. l'uomo
5. il dito	10. la città

D. Translate:

1. La stazione di Genova è vicino al mare.
2. Alcuni viaggiatori vanno nel corridoio.
3. Il treno sta per entrare nella stazione.
4. Lei ha chiuso il finestrino, perchè?
5. Sto guardando il mare.
6. Stiamo comprando una rivista italiana.
7. Quando verrà la mia amica?
8. Questa ragazza ha male al dito.
9. Ogni mano ha cinque dita.
10. Abbiamo gli occhi per vedere e le orecchie per udire.

E. Translate:

1. I have a headache today.
2. This child has a toothache.
3. My friend has had a sore throat all day.
4. The heart is the vital organ of the human body.
5. This train is going as far as Genoa.
6. In an hour we shall be in Turin.
7. I like this scenery very much.
8. There are some large ships in this port.
9. That ship will go as far as America.
10. There is a beautiful view of the sea from this window.

LESSON XXII

Imperfect tense

This tense, sometimes called the past descriptive, describes what happened, or what used to happen, in the past. It is used:

(a) To express an incomplete or habitual action:

> e.g. Il sole splendeva. *The sun was shining.*
>
> Parlavo francese ogni giorno quando ero giovane.
> *I spoke French every day when I was young.*

(b) To express what was happening when something else happened:

> e.g. Carlo telefonava mentre io scrivevo.
> *Charles was telephoning while I was writing.*
>
> Il sole splendeva mentre noi viaggiavamo.
> *The sun was shining while we were travelling.*

(c) For descriptive purposes:

> e.g. Il mare era calmo. *The sea was calm.*

NOTE.—In English the word "would" is often used to describe habitual action:

> e.g. Ogni mattina partiva alla stessa ora.
> *Every morning he would leave at the same time.*

To form the imperfect tense add the following endings to the stem of the verb:

First conjugation	Second conjugation	Third conjugation
-avo	-evo	-ivo
-avi	-evi	-ivi
-ava	-eva	-iva
-avamo	-evamo	-ivamo
-avate	-evate	-ivate
-*a*vano	-*e*vano	-*i*vano

These endings are the same for all verbs, regular and irregular, with the exception of the auxiliary e*ssere*.

NOTE.—Verbs with a contracted infinitive add the above endings to the stem of the original infinitive:

> e.g. dire (*contracted from* di*cere*), dicevo
> fare (*contracted from* fa*cere*), facevo

Imperfect Tense of the Model Verbs

PARLARE		VENDERE	
parlavo	*I was speaking, I used to speak, I spoke, etc.*	vendevo	*I was selling, I used to sell, I sold, etc.*
parlavi		vendevi	
parlava		vendeva	
parlavamo		vendevamo	
parlavate		vendevate	
parlavano		vendevano	

CAPIRE	
capivo	*I used to understand, I understood, etc.*
capivi	
capiva	
capivamo	
capivate	
capivano	

Imperfect Tense of the Auxiliaries

AVERE		ESSERE	
avevo	*I used to have, I had, etc.*	ero	*I used to be, I was, etc.*
avevi		eri	
aveva		era	
avevamo		eravamo	
avevate		eravate	
avevano		erano	

Irregular Verbs—*scegliere, sedere*

SCEGLIERE, *to choose, p.p.* scelto
SEDERE,   *to sit,*   *p.p.* seduto

PRESENT INDICATIVE

scelgo	siedo
scegli	siedi
sceglie	siede
scegliamo	sediamo
scegliete	sedete
scelgono	siedono

NOTE.—*sedersi* (to sit down) is conjugated like *sedere*:

mi siedo, etc.

Like all reflexive verbs, as stated in Lesson XII, *sedersi* is conjugated with e*ssere* in the compound tenses:

mi sono seduto (a)   *I sat down,* etc.
ti sei seduto (a)
ci siamo seduti (e), *etc.*

VOCABULARY

esclamare	to exclaim	al secondo	on the second
la vista	view	piano	floor
perdere di vista	to lose sight of	luminoso	luminous, clear
la galleria	tunnel	avvicinarsi	to approach,
la spiaggia	beach		draw near
la sabbia	sand	non vedere	
l'ombra	shade, shadow	l'ora di	to long for
la pineta	pine wood, grove	Genova	Genoa
il pino	pine tree	Santa	Santa
la passeggiata	promenade	Margherita	Margherita
al mare		La Spezia	La Spezia
fare un bagno	to bathe	Viareggio	Viareggio
il bagno di sole	sun bathe	ad un tratto	all of a sudden
la carrozza	carriage	fine fine	very fine
l'albergo	hotel	l'ufficio	office
l'ascensore (*m.*)	lift	la fontana	fountain
il molo	pier, quay	pieno	full
il caffè (*pl.* caffè)	café	fra poco	soon, shortly
il piano	floor, storey	di tanto in tanto	now and then

DA GENOVA A VIAREGGIO

Molti viaggiatori erano nel corridoio e guardavano il mare; ad un tratto Mario esclamò.

Mario. Che bel mare! È tanto azzurro!

Giovanni. Di tanto in tanto questo bel mare sarà perduto di vista, ci sono tante gallerie fra Genova e La Spezia.

Mario. Fra poco passeremo Santa Margherita, non è vero?

Giovanni. Sì, ed anche Rapallo e La Spezia, poi arriveremo a Viareggio.

Mario. È bella la spiaggia de Viareggio?

Giovanni. È una delle più belle di queste parti, la sabbia è fine fine. C'è anche una bella pineta dove potremo fare passeggiate all'ombra dei pini, quando farà troppo caldo al sole.

Mario.   Non farà mai troppo caldo per me, non vedo l'ora di fare un bel bagno al mare e poi stare al sole. (*Si avvicinano alla stazione di Viareggio.*)

Giovanni.   Ora siamo in Toscana.   Il treno si ferma; dobbiamo scendere subito. (*Prendono una carrozza e vanno all'albergo.*) Faremo una passeggiata stasera fino al Molo, vedrà la Fontana Luminosa, ed i bei Caffè pieni di gente; io facevo sempre una passeggiata dopo pranzo. (*Arrivano all'Albergo e prendono l'ascensore fino alle loro camere, al secondo piano.*)

(*Segue*)

EXERCISES

A. Answer the following:

1. Perchè sarà perduto di vista il mare?
2. Dove passerà fra poco il treno?
3. E poi dove arriveranno i viaggiatori?
4. È bella la spiaggia di Viareggio?
5. Dove c'è una bella passeggiata all'ombra?
6. In quale regione si trova Viareggio?
7. Prendono un tassì Giovanni e Mario quando arrivano alla stazione?
8. Dove vanno poi?
9. Che faranno la sera, dopo pranzo?
10. Che prendono per arrivare alle loro camere?

B. Give the first persons singular and plural, imperfect tense, of the following verbs:

1. avere   4. ricevere
2. essere   5. finire
3. viaggiare

C. Translate:

1. I used to do my work at the office.
2. What were you saying, John?
3. I was speaking to the porter.
4. This is a nice bedroom, is it not?
5. Yes, but the one I had before was more beautiful.

6. On what floor was it?
7. On the third, but the view from the window was magnificent.
8. This hotel is very modern.
9. It is not very big but it is comfortable (*comodo*).
10. Have you seen the fountain? No, not yet. *non ancora*.

D. (*a*) Give the opposite of:

1. chiuso   4. troppo caldo
2. perduto   5. all'ombra
3. bello

   (*b*) Put into the singular:

1. Questi alberghi moderni.
2. Quelle fontane luminose.
3. Delle passeggiate lunghe.
4. Degli studi difficili.
5. Quegli ascensori sono pieni.

E. Conjugate the following verbs in the imperfect tense:

   (*a*) dire   (*b*) andare   (*c*) fare

LESSON XXIII

Use of the Definite Article

The definite article is required in Italian:

(*a*) Before a noun taken in a general sense.

    e.g. I cavalli sono utili.   *Horses are useful.*

(*b*) Before abstract nouns.

    e.g. La carità è una virtù.   *Charity is a virtue.*

(*c*) Usually before surnames which are not preceded by the Christian name.

    e.g. Un libro del Manzoni.   *A book by Manzoni.*
        (*Manzoni* being the surname)

    BUT La Divina Commedia di Dante.
        The Divine Comedy of Dante.
        (*Dante* being a Christian name)

(*d*) It is also required when a title is followed by a proper name

    e.g. Il professor Valli   *Professor Valli*
        Il signor Montani   *Mr. Montani*

    unless used in direct speech.

    e.g. Come sta, signor Montani?
        How are you, Mr. Montani?

Omission of the Definite Article

The definite article is omitted in Italian:

(*a*) Before a noun in apposition to another noun.

    e.g. Londra, capitale d'Inghilterra
        London, the capital of England

(*b*) Before an ordinal number used with a proper noun

    e.g. Pio nono   *Pius the Ninth*

Note how Italian differs from English in this respect.

Omission of the Indefinite Article

The indefinite article is omitted in Italian:

(a) Before a noun in apposition.

> e.g. Piemonte, regione d'Italia
> *Piedmont, a province of Italy*
> Pisa, città toscana
> *Pisa, a town of Tuscany*

(b) Before a noun in the predicate if it is unqualified.

> e.g. Mio fratello è avvocato.   *My brother is a lawyer.*
> BUT Mio fratello è un buon avvocato.
> *My brother is a good lawyer.*

(c) Also in exclamations after *che!* (What a . . . !)

> e.g. Che bel tramonto!   *What a lovely sunset!*
> Che peccato!   *What a pity!*

(d) As already stated, before *cento* and *mille.*

> e.g. Ho cento francobolli.   *I have one hundred stamps.*
> Maria ha mille francobolli.
> *Mary has a thousand stamps.*

Note how Italian differs from English in this respect also.

Irregular Verbs—*rispondere, scendere, crescere*

rispondere	*to answer*	*p.p.* risposto
scendere	*to descend*	*p.p.* sceso
crescere	*to grow*	*p.p.* cresciuto

The compound tenses of *rispondere* are conjugated with *avere*: ho risposto, *etc.*

Scendere and *crescere* are conjugated with *essere*:

> sono sceso (a), *etc.*
> sono cresciuto (a), *etc.*

NOTE.—If *crescere* is used as a transitive verb, meaning "to raise, bring up," it is conjugated with *avere.*

VOCABULARY

il soggiorno	stay, sojourn	la villa	country house
il miracolo	miracle	all'aperto	in the open
il Battistero	Baptistry	cioè	that is, namely
la Torre		andare in torpe-	
Pendente	Leaning Tower	done, pullman	to go by coach
il campanile	bell tower	decidere	to decide
la meraviglia	marvel, wonder	stabilire	to fix
il mondo	world	contenere	to contain
il pulpito	pulpit	sembrare	to seem
il lampadario	chandelier	Giacomo Puccini (1858–1924)	
il pomeriggio	afternoon	Galileo Galilei (1564–1642)	

PISA

Durante il loro soggiorno a Viareggio, Mario e Giovanni decidono di fare una gita in torpedone fino a Pisa: in poco tempo arrivano alla Piazza del Duomo.

Mario. Com'è bella questa Piazza!

Giovanni. Molti Italiani la chiamano la Piazza dei Miracoli, perchè contiene i tre bellissimi edifici, cioè: il Duomo, il Battistero e la Torre Pendente.

Mario. Con quel bel cielo azzurro e il prato verde sembra un vero miracolo.

Giovanni. Questo campanile mi sembra una delle sette mera-viglie del mondo. (*Entrano nella Cattedrale.*)

Mario. Oh, quanto è bella e chiara! Che magnifico pulpito!

Giovanni. E quel lampadario di Galileo è superbo, non è vero? (*Dopo questa visita tutti e due salgono sulla Torre Pendente da dove hanno una bella veduta, poi fanno colazione in un ristorante vicino alla Piazza.*)

Giovanni. Questo pomeriggio potremo andare a Torre del Lago.

Mario. Dov'è? È lontano?

Giovanni. È molto vicino! Potremo visitare la Villa di Giacomo Puccini. C'è un teatro all'aperto dove danno le sue opere durante i mesi estivi.

Mario. Ho letto nel giornale stamattina che danno *La Bohème*. Potremo avere dei biglietti per stasera?

Giovanni. Andremo a vedere.

(*Segue*)

EXERCISES

A. Answer the following:

1. Che decidono di fare un giorno, Giovanni e Mario, mentre sono a Viareggio?
2. È lontano Pisa da Viareggio?
3. Vanno in macchina?
4. Dove si ferma il torpedone quando arriva a Pisa?
5. Com'è chiamata questa piazza dagl'Italiani?
6. Quali tre edifici si trovano in questa piazza?
7. Dove entrano Giovanni e Mario?
8. E poi quale edificio visitano?
9. Che fanno durante il pomeriggio?
10. Dove si trova questa Villa?

B. Give the second persons singular and plural of the following verbs in the imperfect tense:

    1. viaggiare   4. avere
    2. scendere   5. essere
    3. partire

C. Translate:

    1. Have you read this book by Manzoni?
    2. I was speaking to Mr. Valli this morning.
    3. How are you, signora Berti?
    4. This Leaning Tower seems to us one of the seven wonders of the world.
    5. Where is the villa of Giacomo Puccini?
    6. It is in Torre del Lago, not far from Pisa.
    7. Have you heard an Italian opera?
    8. Yes, not only one but many.
    9. Do you like the music of Puccini?
  10. Yes, but my sister prefers the music of Giuseppe Verdi.

D. Translate:

    1. While crossing the road.   4. Leaving the station.
    2. Reading the newspaper.   5. Finishing the dinner.
    3. Finding the hotel.

E. Translate:

    1. Mio fratello è dottore.
    2. Pisa, città toscana, non è lontano da Firenze.
    3. La Toscana, regione d'Italia, è molto bella.
    4. Che peccato! Non c'è tempo di visitare il museo.
    5. Ha risposto alla lettera, Roberto? No, non ancora.
    6. Siamo scesi alla stazione di Viareggio.
    7. La ragazza è cresciuta molto quest'anno.
    8. Questi tre edifici sono magnifici.

LESSON XXIV

Past Definite of Regular Verbs

The endings for the three conjugations are as follows:

First conjugation	Second conjugation	Third conjugation
-ai	-ei *or* -etti	-ii
-asti	-esti	-isti
-ò	-è *or* -ette	-ì
-ammo	-emmo	-immo
-aste	-este	-iste
-*a*rono	-erono *or* -*e*ttero	-*i*rono

NOTE.—

(*a*) The accent on the last vowel of the third person singular in each of the conjugations; this is found in all regular verbs.

(*b*) Except for the -ò in the first conjugation the characteristic vowel of each conjugation is kept in all the persons.

(*c*) Some verbs in -*ere* have an alternative form for the first and third persons singular and the third person plural.

Past Definite of the Model Verbs

PARLARE, *to speak*		VENDERE, *to sell*		CAPIRE,	*to understand*
parlai	*I spoke,* etc.	vendei *or* -etti	*I sold,* etc.	capii	*I understood,* etc.
parlasti		vendesti		capisti	
parlò		vendè *or* -ette		capì	
parlammo		vendemmo		capimmo	
parlaste		vendeste		capiste	
parl*a*rono		venderono *or* -*e*ttero		cap*i*rono	

Use of the Past Definite

This tense is used to express an action begun and completed at a definite time in the past. It is widely used in conversation, and for narration and historical events:

e.g. Dove andò mercoledì scorso?
> *Where did you go last Wednesday?*

Tre anni fa comprai una villa.
> *Three years ago, I bought a country house.*

Leonardo da Vinci morì nell'anno 1519.
> *Leonardo da Vinci died in* 1519.

Prefixes

The prefixes most commonly used in Italian are:

(a) *dis-* (or simply *s-*) which usually gives the opposite meaning to the word to which it is joined:

> e.g. fare *to do*; disfare *or* sfare *to undo, to dissolve.*
> dire *to say, tell*; disdire *to cancel, to unsay.*
> piacevole *pleasant, agreeable*;
> spiacevole *unpleasant, disagreeable.*

(b) *ri-*, which implies repetition.

> e.g. dire *to say*; ridire *to say again.*

(c) *stra-*, which intensifies the meaning of the word to which it is joined.

> e.g. cotto (*p.p. of* cuocere, *to cook*), *cooked*;
> stracotto *overcooked.*
> vecchio *old*; stravecchio *very old.*

Suffixes

When a suffix is added to a word, the word is modified. Suffixes may be added to nouns, adjectives and adverbs. The suffixes most commonly used are:

(a) *-issimo*, added to adjectives and adverbs.

> e.g. buono *good*; buonissimo *very good.*
> bene *well*; benissimo *very well.*

NOTE.—The suffix is added to the word minus its final letter; the adjectives have a feminine form in *-a*.

(*b*) *-etto*, *-ino*, *-ello*, which are used as diminutives, or to denote endearment.

> e.g. una casa *a house*; una casetta, una casina *a small or nice little house*.
> un gatto *a cat*; un gattino *a small cat, kitten*.
> un fiume *a river*: un fiumicello *a small river*.
> caro *dear*; carino *little dear, darling, nice*.

(*c*) *-one*, fem. *-ona*, used as an augmentative.

> e.g. un ragazzo *a boy*; un ragazzone *a big boy*.
> una ragazza *a girl*; una ragazzona *a big girl*.

The feminine form *-ona* is only used for nouns which have a masculine and a feminine form.

Here are some feminine nouns which become masculine when the suffix *-ino* is added.

> una tavola *a table*; un tavolino *a small table*.
> una finestra *a window*; un finestrino *a small window*.
> BUT una mano *a hand*; una manina *a tiny hand*.

VOCABULARY

la bottega	shop	il muro, *pl.* le	wall
il tesoro	treasure	mura	
l'arte	art	Cimabue (1240–1302)	
la facciata	front, façade	Dante Alighieri (1265–1321)	
il marmo	marble	Giotto (1276–1336)	
il capolavoro	masterpiece	Brunelleschi (1377–1444)	
l'orefice	goldsmith	Ghiberti (1378–1455)	
il cammeo	cameo	Donatello (1386–1460)	
l'orecchino	earring	Michelangelo (1475–1564)	
il ponte	bridge	Cellini (1500–1571)	
il Ponte Vecchio	famous bridge in Florence	creare	to create, produce
Santa Maria Novella / Santa Croce	churches in Florence	nascere	to be born
		nacque, nacquero	(he) was born, (they) were
il fiume	river	(*past def. of* nascere)	born
l'Arno	river Arno		

all, country, oldfashioned artisan shops

fece (*past def. of* fare)	(he) made	bronzo	bronze
il Perseo	Perseus	roseo	rose-coloured, rosy
degno	worthy	ricordare	to remember
la pittura	painting	il ricordo	remembrance, souvenir
pian piano, lentamente	slowly	lo scrittore	writer
vidi (*past def. of* vedere)	(I) saw	l'architetto	architect
		contenere	to contain

DA VIAREGGIO A FIRENZE

Mentre Giovanni e Mario viaggiano da Viareggio a Firenze in torpedone, ammirano il paesaggio.

Mario. È molto bello, questo paesaggio. Dove siamo ora?

Giovanni. Vicino a Lucca. Vedrà, fra poco, le sue vecchie mura ed alcuni bellissimi campanili.

Mario. Dov'è la cattedrale di Lucca?

Giovanni. Nella piazza di San Martino. La vedremo quando ci fermeremo.

Mario. È lontano di qui Firenze? *È lontana da qui F.?*

Giovanni. No, ci saremo fra un'ora. *there*

Mario. Sarò tanto felice di vedere Firenze, è una città piena di tesori d'arte, non è vero?

Giovanni. Sì, il Duomo, il Battistero, con le sue famose porte di bronzo del Ghiberti, ed il Campanile di Giotto sono veri capolavori. *masterpieces*

Mario. È di marmo la facciata del Duomo?

Giovanni. Sì, d'un marmo di bei colori, d'un colore roseo e verde scuro. *dark green*

Mario. Qual è la chiesa più bella ed antica di Firenze?

Giovanni.   Santa Maria Novella è una delle più belle e antiche,
    e Santa Croce è famosa, come Lei sa. as you know

Mario.   Firenze è la patria di molti uomini famosi, non è vero?

Giovanni.   Sì, come Cimabue, maestro di Giotto, Dante,
    Brunelleschi, Donatello, Ghiberti e Michelangelo.   Ma
    eccoci arrivati, dobbiamo scendere qui.   Prenderemo una
    carrozza fino al Ponte Vecchio.   Vedrà un po' della città,
    poi cammineremo sul Ponte, così vedrà [le famose botteghe
    degli orefici, e arriveremo pian piano alla Piazza del
    Duomo.

(*Segue*)

EXERCISES

A. Answer the following:

1. Che dice Mario del paesaggio fra Viareggio e Firenze?
2. In quale regione si trovano Pisa, Lucca e Firenze?
3. Com'è la facciata del Duomo di Firenze?
4. Su quale fiume è Firenze?
5. Ha veduto il Ponte Vecchio Lei?
6. Mi dica i nomi di due chiese di Firenze.
7. Sa dirmi il nome di un poeta fiorentino, molto famoso?
8. Sa dirmi i nomi di alcuni scultori e pittori?
9. Dove si trovano le piccole botteghe degli orefici?
10. Perchè è famosa Firenze?

B. Give the third persons singular and plural of the following
    verbs in the past definite tense:

1. arrivare   2. vendere   3. preferire

C. Translate:

1. Dante was born in Florence.
2. Benvenuto Cellini, Giotto and Michelangelo were also
   born in this city.
3. These bronze doors are a masterpiece of art.
4. We are now near the bell tower of Giotto.
5. Last year I visited the Palazzo Vecchio and the Uffizi
   Galleries.

LIVING ITALIAN 159

6. Florence gave to Italy many writers, poets, architects and artists.
7. This façade is really beautiful.
8. We bought some earrings and cameos from the little shops on the Ponte Vecchio.
9. These buildings are very old and the streets very narrow.
10. Tomorrow we will buy some souvenirs.

D. (a) Give the opposites of the following by using a prefix:

1. fare
2. dire
3. piacevole
4. contento
5. obbedire

(b) Form diminutives from the following words:

1. un gatto
2. un fiasco
3. una casa
4. un fratello
5. una sorella

E. Translate:

Donatello creò opere famose. Fece un Crocefisso di legno per la chiesa di Santa Croce a Firenze. Dante Alighieri fu (was) il più gran poeta d'Italia. Quando andai a Firenze l'anno scorso, ammirai il Perseo di Benvenuto Cellini. Vidi le porte di bronzo del Ghiberti, "degne di essere le porte del Paradiso,"—disse (said) Michelangelo. Questo monumento è il Campanile di Giotto. Quell'enorme edificio è la Galleria degli Uffizi, un museo che contiene una grande collezione di pitture.

LESSON XXV

Past Definite of Irregular Verbs

As already stated, most of the irregular verbs are only irregular in the past participle and the past definite, and of the past definite only three of the persons are irregular, viz. the first person singular, which always ends in -*i*, the third person singular, which always ends in -*e*, and the third person plural, which always ends in -*ero*.

The endings of the second person singular and the first and second persons plural are added to the stem of the infinitive, with the exception of e*ssere*, *dare* and *stare* which are very irregular.

PAST DEFINITE

VEDERE		DEC*I*DERE	
vidi	*I saw*, etc.	decisi	*I decided*, etc.
vedesti		decidesti	
vide		decise	
vedemmo		decidemmo	
vedeste		decideste	
v*i*dero		dec*i*sero	

M*E*TTERE		SCR*I*VERE	
misi	*I put*, etc.	scrissi	*I wrote*, etc.
mettesti		scrivesti	
mise		scrisse	
mettemmo		scrivemmo	
metteste		scriveste	
m*i*sero		scr*i*ssero	

Note that there is no accent on the third person singular of an irregular verb in this tense.

AVERE		ESSERE	
ebbi	*I had*, etc.	fui	*I was*, etc.
avesti		fosti	
ebbe		fu	
avemmo		fummo	
aveste		foste	
*e*bbero		fu*r*ono	

DARE		STARE	
diedi *or* detti	*I gave*, etc.	stetti	*I stayed, stood, was,*
desti		stesti	etc.
diede *or* dette		stette	
demmo		stemmo	
deste		steste	
die*d*ero *or* de*tt*ero		ste*tt*ero	

Idiomatic Uses of Prepositions

1. *da* ("by, from") also has the following meanings:

   (*a*) "to" ("to the house *or* shop of").

   e.g. Vado da Roberto.   *I am going to Robert's house.*
   Andiamo da lui, lei, loro.
   Let us go to his, her, their house.

   But note the following:

   Vado da me.   *I am going by myself.*
   Vado a casa mia.   *I am going home, to my house.*

   (*b*) "with", describing a personal characteristic.

   e.g. una ragazza dai capelli neri   *a girl with black hair*

   (*c*) It also indicates purpose

   e.g. una tazza da caffè   *a coffee cup*

2. *per* ("for") also translates "by, by means of".

   e.g. per telegramma *by telegram*   per via aerea *by air*
   due per quattro   *two by (multiplied by) four*

3. *in* ("in") used before countries, translates "to".

   e.g. Vado in Italia.   *I am going to Italy.*

   Note also:

   Vado in città.   *I am going to town.*

4. *a* (" to, at") has the following meanings:

   (*a*) "in" before a town.
      e.g. Abito a Firenze.   *I live in Florence.*

   (*b*) It also implies the way in which something is done.
      e.g. chiudere a chiave *to lock*, lit. *to close with a key*
         alla romana   *in the Roman way*
         due a due   *two by two*

5. *fra* or *tra* ("between, among") before time in the future is translated "in, soon".

        e.g. fra un'ora   *in an hour*
            fra poco   *soon*

6. *di* ("of") before adverbs is translated "from".

      e.g. lontano di qui   *far from here*

When referring to certain times of the day or year it is translated "in" or "by".

e.g. di mattina, di sera, di notte, di giorno
   in the morning, evening, by night, by day

VOCABULARY

la corsa	race	medioevale	medieval
il Palio	piece of rich cloth given as a prize (*fig.* race, prize)	vario	various
		peccato!	too bad!
		che peccato!	what a pity!
il fantino	jockey	rappresentare	to represent
il costume	costume	aver luogo	to take place
il quartiere	district	tre mesi fa	three months ago
il campo	field, ground	però	however
il Campo	large Square	Elena	Helen
l'album (*m.*)	scrapbook, album		

SIENA

Giovanni. Domani andremo a Siena; come Lei sa è una città molto antica e bella. Non ci sarà la Corsa del Palio, però, domani.

Mario. Che cosa è la Corsa del Palio?

Giovanni. È una corsa di cavalli alla quale prendono parte numerosi fantini, tutti vestiti in costumi medioevali che rappresentano i differenti quartieri di Siena.

Mario. E quando ha luogo questa corsa?

Giovanni. Due volte l'anno, il due luglio ed il sedici agosto.

Mario. E dove?

Giovanni. Nella grande piazza chiamata il Campo.

Mario. Dev'essere interessante questa corsa! È bello il Duomo di Siena?

Giovanni. Molto, la sua facciata è di marmo rosso, bianco e nero.

Mario. Quante volte è stato a Siena, Lei?

Giovanni. Questa sarà la mia seconda visita.

(*Segue*)

EXERCISES

A. Answer the following:

1. Dove arrivarono il giorno seguente Mario e Giovanni?
2. È mai stato a Siena, Lei?
3. Com'è chiamata la corsa a Siena?
4. Dove e quando ha luogo?
5. Come si chiama questa Piazza?
6. Chi prende parte a questa corsa?

7. Come sono vestiti i fantini?
8. Com'è la facciata del Duomo?
9. In quale regione si trova Siena?
10. Le piacerebbe visitare questa città?

B. (a) Supply the correct form of the past definite of the following verbs in brackets:

1. Maria (finire) il suo lavoro.
2. Noi (vendere) la macchina.
3. Essi (fare) una passeggiata.
4. Io (andare) a Pisa tre anni fa.
5. Voi (arrivare) troppo tardi.

(b) Translate the words in brackets:

1. Andammo al mare (*two months ago*).
2. (*Sometimes*) visitavamo il museo.
3. (*Often*) parlavamo del viaggio.
4. (*What a pity*) ho perduto il treno.
5. Ho quasi (*one thousand*) francobolli nel mio album.

C. Translate the completed sentences in Exercise B.

D. Translate the following conversation:

Where are you going, Margaret and Helen?
We are going to town, do you want to come with us?
No thanks, I must go to my sister's house now.
Where does she live?
In Trent Road, number eleven.
When is she leaving for Milan?
Next week, by air.
What are you going to buy, Helen?
Some coffee cups for my cousins.
And I will buy some teaspoons.

E. Continue the following verbs in the past definite tense:

1. leggere: lessi, leggesti, *etc.*
2. chiedere: chiesi, chiedesti, *etc.*
3. chiudere: chiusi, chiudesti, *etc.*
4. dire: dissi, dicesti, *etc.*
5. mettere: misi, mettesti, *etc.*

LESSON XXVI

Comparison of Adjectives

There are three degrees of comparison of an adjective:

1. The positive, which is the adjective in its simple form.

2. The comparative, which expresses a higher or a lower degree; this is formed by placing *più* (more) or *meno* (less) before the adjective.

3. (*a*) The superlative relative, which expresses the highest or the lowest degree; this is formed by placing the definite article in front of *più* or *meno*.

   (*b*) The superlative absolute, which expresses a very high or a very low degree, without any suggestion of comparison; this is formed by adding *-issimo*, *-issima*, *-issimi*, *-issime*, to the adjective, after the final vowel has been dropped.

A. *Comparisons of Equality*

In Italian comparisons of equality are formed in the following way:

così . . . come	*as, so . . . as*
tanto . . . quanto	*as much . . . as*

e.g. Roberto è così ricco come Lorenzo
or Roberto è ricco come Lorenzo.
  Robert is as rich as Lawrence.

Pietro non è tanto coraggioso quanto Paolo
or Pietro non è coraggioso quanto Paolo.
  Peter is not as brave as Paul.

Note that *così* and *tanto* may be omitted.

B. *Comparisons of Inequality*

In comparisons the word "than" is translated by *di* or *che*. *di* is used before a noun, a pronoun *or* a number:

e.g. Carlo è più alto di Luigi.   *Charles is taller than Louis.*
Caterina è più alta di me.   *Catherine is taller than I.*

Francesco ha più di mille francobolli.
Francis has more than one thousand stamps.

NOTE.—If there are two nouns used without an article in a general sense and both of them are subjects *or* objects of the same verb, "than" is translated by *che*.

e.g. C'è più latte che caffè in questa tazza.
There is more milk than coffee in this cup.

che is used before all other parts of speech:

e.g. (*a*) *Adverbs*.
Meglio tardi che mai.
Better late than never.

(*b*) *Verbs*.
Preferisco suonare che cantare.
I prefer playing to singing.

(*c*) *Prepositions*.
Ci sono più sigarette in questo pacchetto che in quella scatola.
There are more cigarettes in this packet than in that box.

(*d*) *Adjectives*.
Questa ragazza è più studiosa che intelligente.
This girl is more studious than intelligent.

Comparisons in which *tanto* is used as an adjective require that *quanto* also agrees with the noun:

e.g.   tanta (*f.sing.*) . . . quanta   *as much . . . as*
      tanti (*m.pl.*) . . . quanti ⎫
      tante (*f.pl.*) . . . quante ⎭   *as many . . . as*

Maria ha tanta pazienza quanta sua madre.
Mary has as much patience as her mother.

Giovanni ha tanti libri quanti Roberto.
John has as many books as Robert.
Ho tante cugine quante lui.
I have as many cousins as he.

TABLE OF COMPARISONS

Positive	Comparative	Superlative Relative	Superlative Absolute
caro	più caro	il più caro	carissimo
dear,	meno caro	il meno caro	*very dear*
expensive	*more dear,*	*the most dear,*	
	dearer	*dearest*	
	less dear,	*the least dear,*	
	cheaper	*cheapest*	

NOTE.—Adjectives which end in -*co* or -*go* insert *h* between *c* or *g* and -*issimo* in order to keep the hard sound:

e.g. ricco *rich*   ricchissimo *very rich*
lungo *long*   lunghissimo *very long*

Note the following six adjectives which have both regular and irregular forms:

Positive	Comparative	Superlative Relative	Superlative Absolute
buono *good*	più buono *or* migliore } *better*	il più buono *or* il migliore } *the best*	buonissimo *or* ottimo } *very good*
cattivo *bad*	più cattivo *or* peggiore } *worse*	il più cattivo *or* il peggiore } *the worst*	cattivissimo *or* pessimo } *very bad*
grande *big, great*	più grande *or* maggiore } *bigger, greater*	il più grande *or* il maggiore } *biggest, greatest*	grandissimo *or* massimo } *very big*
piccolo *small*	più piccolo *or* minore } *smaller*	il più piccolo *or* il minore } *smallest*	piccolissimo *or* minimo } *very small*
alto *high*	più alto *or* superiore } *higher*	il più alto *or* il superiore } *the highest*	altissimo *or* supremo } *very high*
basso *low*	più basso *or* inferiore } *lower*	il più basso *or* l'inferiore } *the lowest*	infimo *very low*

NOTE.—*Maggiore* and *minore* signify also "older" and "younger". Use *superiore* and *inferiore* for quality, etc.

Comparison of Adverbs

The comparative and superlative forms of adverbs are formed in exactly the same way as those of adjectives, e.g.:

Positive	Comparative	Superlative Relative	Superlative Absolute
riccamente *richly*	più riccamente	il più riccamente	ricchissimamente

Irregular Comparison of Adverbs

Positive		Comparative		Superlative Relative		Superlative Absolute	
bene	*well*	meglio	*better*	il meglio	*the best*	ottimanente	*very well*
male	*badly*	peggio	*worse*	il peggio	*the worst*	pessimamente	*very badly*
molto	*much*	più	*more*	il più	*the most*	moltissimo	*very much*
poco	*little*	meno	*less*	il meno	*the least*	pochissimo	*very little*

NOTE.—Adjectives and adverbs are sometimes repeated to form the superlative absolute:

      e.g. rosso rosso   *very red*

            piano piano ⎱
      or   pian piano ⎰   *very slowly, gently*

VOCABULARY

la Città Eterna	Eternal City
la capitale	capital
il Colosseo	Colosseum
il Foro	Forum
la Fontana di Trevi	Fountain of Trevi
la piramide	pyramid
Porta San Paolo	Saint Paul's Gate
Teatro di Caracalla	Caracalla Theatre
lo spettacolo	scene, sight
San Pietro	St. Peter
Santa Maria Maggiore	St. Mary the Greater, Major
San Paolo fuori le Mura	St. Paul outside the walls
San Giovanni in Laterano	St. John Lateran
la basilica	basilica
volere	to want
dimenticare	to forget
buttare	to throw
prenotare	to book (seats)
dividere	to divide
si dice	it is said (they say)
pratica	practical
il soldo	soldo (*fig.* copper, penny, etc.)
Parigi	Paris
avverato	proved, come true
il sogno	dream

ROMA

Giovanni e Mario prendono il treno per Roma e arrivano verso mezzogiorno.

Giovanni. Eccoci a Roma, la Città Eterna.

Mario. Che bella stazione e com'è grande e moderna!

Giovanni. È la nuova stazione Termini; sì, è veramente bella e molto pratica.

Mario. Ho sempre voluto visitare la capitale d'Italia. In quale regione siamo ora?

Giovanni. Nel Lazio. Roma si può dividere in tre parti. Roma antica, Roma medioevale e Roma moderna.

Mario. Quali sono le quattro basiliche importanti di Roma?

Giovanni. San Pietro, che è la Cattedrale più grande del
mondo, San Giovanni in Laterano, Santa Maria Maggiore,
e San Paolo fuori le Mura.

Mario. Visiteremo tutt'e quattro, più tardi, non è vero?

Giovanni. Certo; c'è tanto da vedere a Roma—ma abbiamo
tempo.

Mario. Sì, è vero. Roma è famosa non solo per le chiese, il
Colosseo ed il Foro ma anche, si dice, per la bellezza delle
sue fontane.

Giovanni. Vedremo facilmente le fontane perchè sono quasi
tutte in grandi piazze—e non dobbiamo dimenticare di
buttare un soldo nella fontana di Trevi.

Mario. Perchè?

Giovanni. Perchè si dice che chi farà così sarà certo di
rivedere la Città Eterna. Sa che c'è una piramide a Roma?

Mario. No, non sapevo ciò, dove?

Giovanni. Vicino a Porta San Paolo; la vedremo domani
prima di andare alla basilica di San Paolo.

Mario. Potremo andare, una sera, al Teatro di Caracalla?

Giovanni. Sì, prenoteremo biglietti per un'opera; nel giornale
ci sarà il programma, e vedremo quale opera daranno
domani. Questo Teatro è all'aperto, come Lei sa.

Mario. Sarà per me uno spettacolo meraviglioso, un sogno
avverato.

(Segue)

EXERCISES

A. Answer the following:

1. A che ora arrivano a Roma i nostri viaggiatori?
2. In quale regione sono ora?
3. Quali sono le quattro famose basiliche di Roma?
4. Quali visiteranno Giovanni e Mario?
5. Che faranno quando visiteranno la fontana di Trevi?
6. Perchè?
7. C'è una piramide a Roma?
8. Dove?
9. Le piacerebbe visitare questa capitale?
10. Qual è la capitale della Francia?

11. Qual è la capitale dell'Inghilterra?
12. Quali capitali ha Lei visitate?

B. Give the first and third persons plural of the following
   verbs in the conditional tense:

      1. leggere   4. fare
      2. dire   5. partire
      3. visitare

C. Translate:

    1. Luigi speaks Italian better than Paul.
    2. This book is the best of the three.
    3. This is a very good idea.
    4. Charles is the eldest.
    5. Helen is the youngest.
    6. That tower is higher than this one.
    7. Three days ago I saw a wonderful view.
    8. Unfortunately I could not take a photograph of it.
    9. Peter is as tall as Paul.
  10. Robert is the tallest.

D. (a) Give the opposites of the following:

      1. maggiore   4. ottimo
      2. superiore   5. bene
      3. meglio

  (b) Give the superlative absolute of the following:

      1. piccolo   4. molto
      2. poco   5. bene
      3. alto

E. Revise all the tenses studied so far of the auxiliary verbs,
   and write the third persons singular and plural of each
   tense.

LESSON XXVII

The Subjunctive Mood

The subjunctive is used to express an action which may be possible but is uncertain. This action is generally dependent on another action. The subjunctive is mainly found in a subordinate clause when the verb in the main clause expresses fear, doubt, emotion, opinion, etc.

e.g. Temo che questo ragazzo abbia un raffreddore.
  I fear this child has a cold.
 Mi dispiace che Lei non stia bene.
  I am sorry you are not well.

Note, however, that the subjunctive is not used when the subject in both clauses is the same; in this case the infinitive is used:

e.g. Temo d'arrivare troppo tardi.
  I fear I may arrive too late.

PRESENT SUBJUNCTIVE

PARLARE		VENDERE	
parli	(*that*) *I may speak,*	venda	(*that*) *I may sell,*
parli	etc.	venda	etc.
parli		venda	
parliamo		vendiamo	
parliate		vendiate	
parlino		vendano	

CAPIRE		PARTIRE	
capisca	(*that*) *I may*	parta	(*that*) *I may leave,*
capisca	*understand*, etc.	parta	*depart*, etc.
capisca		parta	
capiamo		partiamo	
capiate		partiate	
capiscano		partano	

Verbs in *-ire* which do not have the *-isc-* in the present indicative are conjugated like *partire*.

Here are a few verbs conjugated like *capire*:

apparire	*to appear*	condire	*to season*
costruire	*to build*	digerire	*to digest*
guarire	*to cure*	preferire	*to prefer*
pulire	*to clean*	finire	*to finish*

and here are some conjugated like *partire*:

consentire	*to agree*	sentire	*to hear or smell*
divertire	*to amuse*	sentirsi	*to feel*
divertirsi	*to enjoy oneself*	soffrire	*to suffer*
seguire	*to follow*	vestire	*to dress*

Present Subjunctive of the Auxiliaries

	AVERE		ESSERE
abbia	*(that)* I may have,	sia	*(that)* I may be,
abbia	etc.	sia	etc.
abbia		sia	
abbiamo		siamo	
abbiate		siate	
abbiano		siano	

NOTE.—Verbs in the present subjunctive have the same form for the three persons singular.

The subjunctive is also used:

(a) After certain conjunctions such as *sebbene, benchè* (although), *affinchè* (in order that), *a meno che* (unless), *prima che* (before), and a few others.

e.g. Sebbene *or* benchè egli sia ricco non è felice.
Although he is rich he is not happy.
Prima che Roberto parta telefona sempre al suo amico.
Before Robert leaves he always telephones his friend.

(b) After a superlative relative and also after *primo*, *ultimo* and *unico*:

e.g. È il più piccolo cane ch'io abbia mai visto.
It is the smallest dog I have ever seen.

(c) After certain indefinite words such as *chiunque* (whoever), *qualunque* (whatever), etc.

VOCABULARY

il giovanotto	young man	la fetta	slice
il gelato	ice-cream	il panino	roll (bread)
la caramella	boiled sweet	il pacchetto	small parcel
il cestino	small basket	il fiaschetto	small flask
il cestino da	lunch-basket,	la gente	people
viaggio	packed lunch	perfino	even
il tovagliolo	serviette	lasciare	to leave
le lasagne	(broad) strips of	gridare	to shout, cry out
	macaroni	il raffreddore	cold, chill
il sale	salt	il marciapiede	pavement,
la porzione	portion		(*station*) plat-
il pollo	chicken		form

DA ROMA A MILANO

Giovanni.   Ora lasciamo il Lazio e quando passeremo per Orvieto saremo in Umbria, poi, poco dopo, di nuovo nella Toscana.

Mario.   È lungo il viaggio da Roma a Milano, non è vero?

Giovanni.   Sì, dura otto ore.   Questo treno non si ferma tante volte.

Mario.   A quali stazioni si ferma?

Giovanni.   Credo che Orvieto, Firenze, Bologna e Parma siano le stazioni principali.

Mario.   In quale regione si trova Bologna?

Giovanni.   In Emilia.

Mario.   E Milano?

Giovanni.   In Lombardia.

   (*I due viaggiatori leggono i giornali.   Il treno arriva alla stazione di Bologna e si ferma.   Dei giovanotti sul marciapiede, gridano: gelati, caramelle, frutta, cestini da viaggio!*)

Giovanni.   Non sarebbe una buon'idea comprare due cestini invece di andare al vagone ristorante?

Mario.   Certo, costeranno meno di un pranzo in treno.

Giovanni.   E sono sempre buoni!

   (*Comprano due cestini, e il treno riparte.*)

Mario.   Vorrei sapere che c'è in questo cestino.

Giovanni (*aprendo il suo*).   Un piatto caldo di lasagne con una forchetta, pollo, due fette di prosciutto, panini, formaggio, frutta, un fiaschetto di vino, e perfino un pacchettino di sale ed un tovagliolo di carta.

Mario. Anch'io ho lo stesso nel mio. Buon appetito!

Giovanni. Grazie, altrettanto a Lei.

(*Cominciano a mangiare.*)

(*Segue*)

EXERCISES

A. Answer the following:

1. In quale regione si trova Orvieto?
2. È lungo il viaggio da Roma a Milano?
3. Come passano il tempo i nostri viaggiatori?
4. Che gridano alcuni giovanotti alla stazione di Bologna?
5. Che comprano Giovanni e Mario?
6. Che trovano nei cestini da viaggio?
7. Le piace il prosciutto?
8. Le piacciono i gelati?
9. Che dice Mario a Giovanni prima di cominciare a mangiare?
10. Che risponde Giovanni?

B. Put into the subjunctive:

1. Lei ha
2. essi sono
3. io finisco
4. Loro vendono
5. io sono
6. voi vendete
7. Loro partono
8. io preferisco
9. tu hai
10. Lei compra

C. Translate:

1. I hope you are well.
2. We fear Robert is ill.
3. These people are rich but they are not happy.
4. Although Charles and Peter are poor they are very happy.
5. Have you visited Rome before?
6. No, this is the first time I have been (*say* am) here.
7. Do you think Peter will come tomorrow?
8. No, I think he has gone to London.
9. I have brought you a flask of white wine.
10. You are very kind, thank you very much.

D. Conjugate in the subjunctive the following verbs:

1. avere
2. *essere*
3. cantare
4. ric*e*vere
5. finire

E. Revise all tenses of the indicative mood of the model verbs and write the second persons singular and plural of each tense.

LESSON XXVIII

The Imperative Mood

The imperative is used when one asks or commands someone to do something. It is really only used in the second persons singular and plural and the first person plural:

e.g. Parla italiano.   *Speak Italian.*
Parliamo italiano.   *Let us speak Italian.*
Parlate italiano.   *Speak Italian.*

As there is no imperative form for *Lei* and *Loro,* it is supplied from the third persons singular and plural of the present subjunctive:

e.g. Finisca il Suo lavoro.   *Finish your work.*
Mandino queste cartoline ai Loro amici.
    Send these postcards to your friends.

PARLARE

Second person singular	parla	*speak* (tu *understood*)
Third person singular	parli	*speak* (Lei *understood*)
First person plural	parliamo	*let us speak*
Second person plural	parlate	*speak* (voi *understood*)
Third person plural	parlino	*speak* (Loro *understood*)

VENDERE	FINIRE	PARTIRE
vendi	finisci	parti
venda	finisca	parta
vendiamo	finiamo	partiamo
vendete	finite	partite
vendano	finiscano	partano

NOTE.—The first and second persons plural of the imperative are the same as the first and second persons plural of the present indicative minus the pronouns, except in the cases of *avere* and *essere,* where the second person plural is the same as the subjunctive, and *sapere* and *volere.*

AVERE	*E*SSERE
abbi	sii
*a*bbia	sia
abbiamo	siamo
abbiate	siate
*a*bbiano	s*i*ano

NOTE.—Except in the second person singular, the imperative is made negative in the usual way, by the use of *non*:

e.g. Non parli.	*Do not speak.*
Non parliamo.	*Do not let us speak.*
Non parlate.	*Do not speak.*
Non p*a*rlino.	*Do not speak.*

But to form the imperative negative of the second person singular, the *infinitive* is used, preceded by *non*:

e.g. Non parlare	*Do not speak.*
Non v*e*ndere.	*Do not sell.*
Non finire.	*Do not finish.*

When used with the imperative affirmative in the second person singular and the first and second persons plural, the conjunctive pronouns (except *loro* and *Loro*) are joined to it and form one word:

e.g. Compra quella casa.	*Buy that house.*
BUT C*o*mprala.	*Buy it.*
Compri*a*mola.	*Let us buy it.*
Compr*a*tela.	*Buy it.*

When used with the imperative negative, the pronouns may precede or follow the verb:

e.g. Non la comprare.⎫	
Non comprarla. ⎭	*Do not buy it.*
Non la compriamo.	*Do not let us buy it.*

NOTE.—With the polite form of the imperative the pronouns (except *loro* and *Loro*) *precede* the verb, when used either affirmatively or negatively:

e.g. *sing. form:* La compri, signora.	*Buy it, madam.*
Non la compri, signora.	*Do not buy it, madam.*

pl. form:	La comprino, signorine.	*Buy it, ladies.*
	Non la comprino, signorine.	*Do not buy it, ladies.*
sing. form:	Parli loro.	*Speak to them.*
	Non parli loro.	*Do not speak to them.*
pl. form:	Parlino loro.	*Speak to them.*
	Non parlino loro.	*Do not speak to them.*

There are three other cases in which the conjunctive pronouns are joined to the verb in the same way as in the imperative affirmative, viz:

(*a*) The infinitive, as already stated in Lesson IX:

    e.g. Vado a comprarla.   *I am going to buy it (f.).*
        È pericoloso sporgersi.
          It is dangerous to lean out (i.e. of the window).

(*b*) The gerund:

    e.g. vedendola   *seeing it (or her)*

(*c*) The past participle when used without an auxiliary verb:

    e.g. Ho comprato una casa.   *I have bought a house.*

    BUT Compratola sono molto felice.
        Having bought it, I am very happy.

If the imperative consists of one syllable only (e.g. *da'* (give), *fa'* (do, make), the initial letter of the pronoun joined to it is doubled:

e.g. dammi   *give me*;   fammi   *do me, make me.*

    Dalle subito il telegramma.
        Give her the telegram at once.

Gli, however, is an exception to this rule:

e.g. dagli   *give him*

Loro is never attached to the verb:

e.g. da' loro   *give them*

TABLE OF CONJUNCTIVE PRONOUNS

Subject		Direct object		Indirect object		Reflexive	
io	*I*	mi	*me*	mi	*to me*	mi	*myself*
tu	*you*	ti	*you*	ti	*to you*	ti	*yourself*
egli, lui	*he*	lo	*him, it*	gli	*to him, it*	si	*himself, itself*
ella, lei	*she*	la	*her, it*	le	*to her, it*	si	*herself, itself*
Lei	*you*	La	*you*	Le	*to you*	si	*yourself*
noi	*we*	ci	*us*	ci	*to us*	ci	*ourselves*
voi	*you*	vi	*you*	vi	*to you*	vi	*yourselves*
essi	*they*	li	*them*	loro	*to them*	si	*themselves*
esse	*they*	le	*them*	loro	*to them*	si	*themselves*
Loro	*you*	Li, Le	*you*	Loro	*to you*	si	*yourselves*

ne, *some, any, of it, some of it*, etc.

Double Conjunctive Pronouns

When two conjunctive pronouns are governed by the same verb and one is the *direct* and the other the *indirect object*, the *indirect* precedes the *direct object*.

Both these pronouns either precede or follow the verb according to the rules already stated for the single pronoun.

NOTE.—(*a*) the *i* of *mi, ti, si, ci* and *vi* is changed to *e* when followed by a direct object pronoun (*lo, la, li, le, ne*):

e.g. Carlo me lo darà. *Charles will give it to me.*

(*b*) *gli* (to him) and *le* (to her, to you) become *glie* and are written as one word with the pronoun which follows, thus giving these forms:

glielo / gliela } *it to him, it to her, it to you*

glieli / gliele } *them to him, them to her, them to you*

gliene *some to him, some to her, some to you*

(*c*) *Loro* and *loro*, as always, follow the verb:

e.g. Lo do loro. *I give it to them.*

Conjunctive Adverbs

"Here", "there" and "in it", when referring to a place already mentioned and not used emphatically, are translated by *ci* or *vi*. "From there" and "thence" are translated by *ne*:

e.g. È Lei stato a Londra questa settimana? Sì, ci andai due giorni fa.

Have you been to London this week? Yes, I went there two days ago.

Viene spesso a Lucca, Margherita? Sì, ci vengo ogni anno.

Do you often come to Lucca, Margaret? Yes, I come here every year.

Maria uscì dalla casa alle dieci, io ne uscii a mezzogiorno.

Mary went out of the house at ten o'clock, I went out from there at noon.

NOTE.—These adverbs, used only in connection with a verb, precede or follow the verb according to the rules studied for the conjunctive pronouns above:

e.g. Devo ritornarci. *I must return there.*

Uscendone . . .   *Going out from there . . .*

VOCABULARY

la scala	staircase, stairs	il cappuccino	coffee with frothed-up milk
la scala mobile	moving staircase, escalator	il caffè e latte *or* caffèlatte	coffee with milk
la *Scala*	Scala Theatre	Santa Maria delle Grazie	(famous church in Milan)
la Galleria	famous shopping arcade	Leonardo da Vinci (1452–1519)	
la guglia	spire	Castello Sforzesco	Sforza Castle
l'ottava meraviglia	eighth wonder	il lato	side
l'*U*ltima Cena, il Cenacolo	Last Supper	notare	to note, notice
l'esterno	exterior, outside	la coincidenza	connection (railway), coincidence
l'interno	interior, inside		
lo stile	style	l'orario	timetable
il caffè, l'espresso	strong (black) coffee	gotico	gothic

MILANO

Mario. Ecco la stazione centrale di Milano.

Giovanni. Vedrà che è una stazione molto ornata, ma non piace a tutti. Scenderemo la scala di marmo, vedrà anche una scala mobile. Prima di uscire, prenderemo un caffè, o un cappuccino. Che preferisce?

Mario. Un espresso, per favore. Quante ore avremo a Milano?

Giovanni. Almeno quattro, ma vedremo l'orario fra poco.

Mario. Eccolo! Treni in Arrivo . . . Treni in Partenza . . . Ah, ecco! . . . Milano-Venezia.

Giovanni. La coincidenza per Venezia sarà alle ore diciannove.

Mario. Così avremo quasi cinque ore qui.

Giovanni. E poi, ritornando da Venezia, altre cinque ore; così potrà vedere un po' di questa città industriale. Sarebbe meglio prendere subito un tassì fino alla Piazza del Duomo.

Mario. Per vedere prima il famoso Duomo di Milano? Che stile è?

Giovanni. È di stile gotico, e Lei sa che è tutto di marmo, non è vero?

Mario. Sì. Quante statue ci sono sul Duomo?

Giovanni. Più di duemila statue e centotrentacinque guglie.

Mario. Ora capisco perchè i Milanesi chiamano questa cattedrale "L'ottava meraviglia del mondo"!

Giovanni. Mi dispiace che non ci sia tempo oggi per vedere l'Ultima Cena, di Leonardo da Vinci, ma ritornando da Venezia, avremo altre cinque ore a Milano, e così vedrà questo bel capolavoro.

Mario. Dove si trova?

Giovanni. Nella chiesa di Santa Maria delle Grazie, ma sarà chiusa a quest'ora.

Mario. Potremo vedere La Scala?

Giovanni. Soltanto l'esterno—anch'essa sarà chiusa.

Mario. È lontano dal Duomo?

Giovanni. No, è dall'altro lato della famosa Galleria.

Mario. Dov'è il Castello Sforzesco?

Giovanni. Eccolo.

(*Fanno un giro della città in tassì, poi ritornano alla stazione e prendono il treno per Venezia.*)

(*Segue*)

EXERCISES

A. Answer the following:

1. Piace a tutti la stazione di Milano?
2. Che prendono Mario e Giovanni prima di uscire dalla stazione?
3. A che serve un orario?
4. Vanno a piedi fino alla piazza del Duomo?
5. Di che stile è il Duomo di Milano?

6. Quante statue ci sono su questo Duomo?
7. Come lo chiamano i Milanesi?
8. Dove si trova l'*Ultima* Cena di Leonardo da Vinci?
9. È lontano dalla Piazza del Duomo La Scala?
10. Quale Castello vedono prima di ritornare alla stazione?

B. Give all the imperative forms of *avere*, *essere*, *cantare*, *ricevere* and *finire*.

C. Translate:

1. Show me that book, please, Charles.
2. Bring me those newspapers, Mary.
3. Pass him that letter.
4. Show me your books, children.
5. Have you the postcard from Mr. Valli? Give it to John, please.

D. Put into the negative:

1. Compra quel tavolino.   4. Vendi la tua casetta.
2. Parli a quell'uomo.   5. Partano prima delle *undici*.
3. Mangiamo all'albergo.

E. Substitute the words in brackets with a pronoun:

1. Ecco (la pittura).   6. Scriviamo (a Rita).
2. Mostri (la piramide).   7. Ecco (i giardini).
3. Ammirando (il campanile).   8. Devo visitare (il museo).
4. Vedo (i fiori) laggiù.   9. Non scrivo (alle signorine).
5. Parlo (a Roberto).   10. Chiama (il cameriere), per favore.

F. (*a*) Translate into English:

1. Gliene parleremo.   4. Glielo manderemmo.
2. Carlo glieli mandò.   5. Ce li venderà.
3. Maria me ne comprerà.

   (*b*) Translate into Italian:

1. He will give it (*f.*) to her.
2. He would show it (*m.*) to us.
3. They will read them to me.
4. I will speak of it to them.
5. Mary wrote it (*f.*) to me.

LESSON XXIX

The Imperfect Subjunctive

To form the imperfect subjunctive add the following endings to the stem of the verb. The characteristic vowel of the infinitive is retained in all regular and many irregular verbs. The endings are:

-ssi	-ssimo
-ssi	-ste
-sse	-ssero

As a general rule the present or perfect subjunctive is used in a subordinate clause when the verb in the main clause is in the present, future or imperative. The imperfect or pluperfect subjunctive is used if the main verb is in any past tense:

e.g. Temevo che Carlo non venisse oggi.
I was afraid Charles might not come today.

Imperfect Subjunctive of the Model Verbs

PARLARE		VENDERE	
parlassi	*I spoke* or *might*	vendessi	*I sold* or *might*
parlassi	*speak*, etc.	vendessi	*sell*, etc.
parlasse		vendesse	
parlassimo		vendessimo	
parlaste		vendeste	
parlassero		vendessero	

FINIRE		PARTIRE	
finissi	*I finished* or	partissi	*I left* or *might*
finissi	*might finish*,	partissi	*leave*, etc.
finisse	etc.	partisse	
finissimo		partissimo	
finiste		partiste	
finissero		partissero	

Imperfect Subjunctive of the Auxiliaries

	AVERE		ESSERE
avessi	*I had* or *might have,*	fossi	*I was* or *might be,*
avessi	etc.	fossi	etc.
avesse		fosse	
avessimo		fossimo	
aveste		foste	
avessero		fossero	

NOTE.—Except for the characteristic vowel, the endings are the same for all conjugations. The characteristic vowel of the infinitive is retained in all regular and many irregular verbs:

e.g. comprassi	*from*	comprare	*to buy*
ricevessi	*from*	ricevere	*to receive*
capissi	*from*	capire	*to understand*
avessi	*from*	avere	*to have*
venissi	*from*	venire	*to come*

Verbs with a contracted infinitive add the endings to the stem of the original infinitive:

e.g. dire (*contracted from* dicere) dicessi
fare (*contracted from* facere) facessi

Note, however, the irregular forms of *essere* and the following two verbs:

DARE	STARE
dessi	stessi
dessi	stessi
desse	stesse
dessimo	stessimo
deste	steste
dessero	stessero

The imperfect subjunctive is used in a conditional clause to imply that the statement is either contrary to fact in the present or doubtful in the future:

e.g. Se avessi tempo, studierei molte lingue.
If I had time I should study many languages
(this implies that I have not time).

Se Roberto arrivasse in tempo, usciremmo insieme.
If Robert arrived in time we should go out together
(a condition doubtful in the future).

When the conditional clause refers to past time, the pluperfect of the subjunctive (formed from the imperfect subjunctive of the auxiliary plus the past participle) is used with the conditional perfect:

e.g. Se Carlo mi avesse parlato inglese, avrei capito tutto.
If Charles had spoken English to me, I should have understood everything.

More Compound Tenses

1. The pluperfect, which is formed from the imperfect of the auxiliary and the past participle of the verb conjugated:

e.g. avevo parlato	*I had spoken*
ero partito	*I had left*

2. The past anterior, which is formed from the past definite of the auxiliary and the past participle of the verb conjugated:

e.g. ebbi parlato	*I had spoken*
fui partito	*I had left*

3. The future perfect, which is formed from the future of the auxiliary and the past participle of the verb conjugated:

e.g. avrò parlato	*I shall have spoken*
sarò partito	*I shall have left*

4. The conditional perfect, which is formed from the conditional of the auxiliary and the past participle of the verb conjugated:

e.g. avrei parlato	*I should have spoken*
sarei partito	*I should have left*

NOTE.—The pluperfect and the past anterior have the same meaning; they denote what *had* happened. The past anterior is used after certain conjunctions of time in a subordinate clause, provided that the past definite has been used in the main clause.

> e.g. Dopo che Roberto ebbe letto il telegramma, uscì.
> *After Robert had read the telegram, he went out.*
> Quando fu arrivato a casa, andò a letto.
> *When he reached home, he went to bed.*
> Appena ebbero veduto il Duomo, andarono alla Galleria.
> *As soon as they had seen the Cathedral they went to the Arcades.*

Other conjunctions of time are *appena* or *appena che* (as soon as), *quando* (when), *subito dopo* (immediately after).

The future perfect and the conditional perfect are used as in English, and also to express what was probable (cf. Lesson XIV for a similar use of the future tense).

Verbs followed by Prepositions

Some verbs do *not* require a preposition in Italian, whereas they do in English:

e.g. ascoltare	*to listen to*	aspettare	*to wait for*
cercare	*to look for*	guardare	*to look at*

Some verbs *do* require a preposition in Italian, but not in English:

e.g. entrare in	*to enter*	obbedire a	*to obey*
credere a	*to believe*	ricordarsi di	*to remember*

Some verbs require one preposition in Italian and another in English:

e.g. coprire di	*to cover with*	caricare di	*to load with*
vivere di	*to live on*	dipendere da	*to depend on*

A number of verbs take the infinitive without any intervening preposition:

e.g. preferire	*to prefer*	bisognare	*to be necessary*
desiderare	*to want, desire*		

Simple and Compound Tenses of Verbs

FIRST CONJUGATION

Infinitive	*Present*	parlare	*to speak*
	Past	aver parlato	*to have spoken*
Gerund	*Present*	parlando	*speaking*
	Past	avendo parlato	*having spoken*
Past participle and verbal adjective		parlato (a) (i) (e)	*spoken*
Present		parlo, *etc.*	*I speak*, etc.
Perfect		ho parlato, *etc.*	*I have spoken*, etc.
Future		parlerò, *etc.*	*I shall speak*, etc.
Future perfect		avrò parlato, *etc.*	*I shall have spoken*, etc.
Conditional	*Present*	parlerei, *etc.*	*I would speak*, etc.
	Perfect	avrei parlato, *etc.*	*I would have spoken*, etc.
Imperfect		parlavo, *etc.*	*I used to speak*, etc.
Pluperfect		avevo parlato, *etc.*	*I had spoken*, etc.
Past definite		parlai, *etc.*	*I spoke*, etc.
Past anterior		ebbi parlato, *etc.*	*I had spoken*, etc.
Subjunctive	*Present*	parli, *etc.*	*(that) I may speak*, etc.
	Perfect	abbia parlato, *etc.*	*(that) I may have spoken*, etc.
Sub-junctive	*Imperfect*	parlassi, *etc.*	*(that) I might speak*, etc.
	Pluperfect	avessi parlato, *etc.*	*(that) I might have spoken*, etc.
Imperative		parla, parli, *etc.*	*speak!* etc.

SECOND CONJUGATION

Infinitive	*Present*	vendere	*to sell*
	Past	aver venduto	*to have sold*
Gerund	*Present*	vendendo	*selling*
	Past	avendo venduto	*having sold*
Past participle and verbal adjective		venduto (a) (i) (e)	*sold*
Present		vendo, *etc.*	*I sell*, etc.
Perfect		ho venduto, *etc.*	*I have sold*, etc.
Future		venderò, *etc.*	*I shall sell*, etc.
Future perfect		avrò venduto, *etc.*	*I shall have sold*, etc.
Conditional	*Present*	venderei, *etc.*	*I would sell*, etc.
	Perfect	avrei venduto, *etc.*	*I would have sold*, etc.
Imperfect		vendevo, *etc.*	*I used to sell*, etc.
Pluperfect		avevo venduto, *etc.*	*I had sold*, etc.
Past definite		vendei (-etti), *etc.*	*I sold*, etc.
Past anterior		ebbi venduto, *etc.*	*I had sold*, etc.

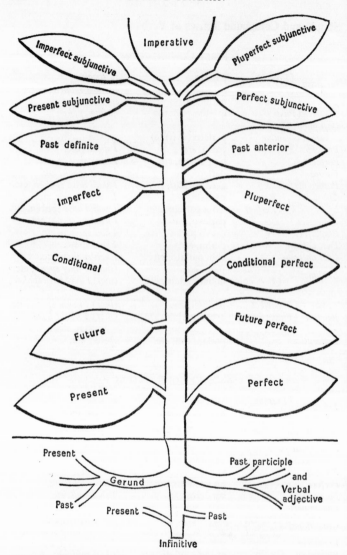

The **Verb Tree** and the table of verb tenses will help students to see, at a glance, the simple and compound tenses of verbs.

Subjunctive	{ Present	venda, *etc.*	*(that) I may sell*, etc.
	{ Perfect	*a*bbia venduto, *etc.*	*(that) I may have sold,* etc.
Sub-	{ Imperfect	vendessi, *etc.*	*(that) I might sell*, etc.
junctive	{ Pluperfect	avessi venduto, *etc.*	*(that) I might have sold,* etc.
Imperative		vendi, venda, *etc.*	*sell!* etc.

THIRD CONJUGATION

Infinitive	{ Present	partire	*to leave (depart)*
	{ Past	*essere* partito	*to have left*
Gerund	{ Present	partendo	*leaving*
	{ Past	essendo partito	*having left*
Past participle and verbal adjective		partito (a) (i) (e)	*left*
Present		parto, *etc.*	*I leave*, etc.
Perfect		sono partito (a), *etc.*	*I have left*, etc.
Future		partirò, *etc.*	*I shall leave*, etc.
Future perfect		sarò partito (a), *etc.*	*I shall have left*, etc.
Conditional	{ Present	partirei, *etc.*	*I would leave*, etc.
	{ Perfect	sarei partito (a), *etc.*	*I would have left*, etc.
Imperfect		partivo, *etc.*	*I used to leave*, etc.
Pluperfect		ero partito (a), *etc.*	*I had left*, etc.
Past definite		partii, *etc.*	*I left*, etc.
Past anterior		fui partito (a), *etc.*	*I had left*, etc.
Subjunctive	{ Present	parta, *etc.*	*(that) I may leave*, etc.
	{ Perfect	sia partito (a), *etc.*	*(that) I may have left,* etc.
Sub-	{ Imperfect	partissi, *etc.*	*(that) I might leave*, etc.
junctive	{ Pluperfect	fossi partito (a), *etc.*	*(that) I might have left,* etc.
Imperative		parti, parta, *etc.*	*leave!* etc.

VOCABULARY

la fine	end	il canale	canal
la tappa	stage, halting place	il Canal Grande	Grand Canal
l'impressione	impression	il Ponte dei Sospiri	Bridge of Sighs
la gondola	gondola	il Ponte di Rialto	Rialto Bridge
il gondoliere	gondolier		
la barca a motore	motor-launch	l'ind*u*stria	industry
		il vetro	glass
l'isoletta	little island	la Barca Musicale	Music Boat
il modo	way, manner		

il ritorno	return	bizantino	Byzantine
il recordo	remembrance	entusiastico	enthusiastic
San Marco	Saint Mark	forse	perhaps
il Palazzo Ducale	Ducal Palace	chi sa?	who knows?
		ammirare	to admire
il sogno	dream	camminare	to walk
la bellezza	beauty	scivolare	to glide, slip
la Regina dell' Adriatico	Queen of the Adriatic	mancare	to fail, miss
		strano	strange

VENEZIA

Giovanni. Siamo quasi alla fine del nostro viaggio. Venezia sarà l'ultima tappa.

Mario. Che bella vacanza è stata per me!

Giovanni. Avrà una strana impressione quando arriverà alla stazione di Venezia.

Mario. Perchè?

Giovanni. Perchè uscendo dalla stazione vedrà le gondole, le barche a motore, ed i piroscafi che porteranno i viaggiatori agli alberghi.

Mario. Oh—come sarà interessante!

Giovanni. Durante la mia ultima visita a Venezia feci quasi tutta questa città a piedi.

Mario. A piedi, ma come?

Giovanni. Lei sa che Venezia è costruita su numerose isolette che sono unite da piccoli ponti. In questo modo si può camminare da una parte all'altra, ammirando allo stesso tempo tante belle cose . . . ma eccoci arrivati!

Mario. Oh—quanti gondolieri! Prenderemo anche noi una gondola?

Giovanni. Sì, ci sarà quella del nostro albergo, eccola!

Mario (*entusiastico di tutto esclama*). Come scivolano in silenzio sull'acqua!

Giovanni. Fra poco vedrà il Ponte di Rialto, eccolo!

Mario. Com'è bello!

Giovanni. Vede, ora, laggiù la Piazza San Marco?

Mario. Di che stile è la Cattedrale?

Giovanni. Bizantino. Vede il gran campanile e il Ponte dei Sospiri? (*Arrivano alla porta dell'albergo.*)

Mario. Ha ragione, tutto mi pare tanto strano. Venezia è veramente la Regina dell'Adriatico!

Giovanni. Questo non è niente, domani vedrà il Palazzo
   Ducale, poi un altro giorno andremo all'*i*sola di Murano,
   famosa per l'ind*u*stria veneziana del vetro, ed una sera
   andremo sul Canal Grande e sentirà la m*u*sica dalla *Barca
   Musicale.*

Mario. Non so cosa dire, tutto mi pare un sogno!

Giovanni. Un altr'anno dovrà ritornare in It*a*lia per visitare
   altre città, perchè ognuna ha le sue bellezze.

Mario. Non mancherò di farlo. Quest'inverno leggerò alcuni
   libri sull'It*a*lia e cercherò di studiare m*e*glio la l*i*ngua.
   Chi sa, forse anch'io potrò aiutare qualcuno come Lei ha
   fatto con me quest'anno.

   (*Dopo la loro visita a Ven*e*zia ritornano a Milano. Alle ore
   dici*a*ssette e trenta pr*e*ndono il treno per Calais.*)

                                        (*Fine*)

EXERCISES

A. Answer the following:

1. Quale impressione avrà Mario quando arriverà a Venezia?
2. Perchè?
3. Come visitò una volta questa città, Giovanni?
4. Com'è costruita Venezia?
5. Che videro dal Canal Grande?
6. Di che stile è San Marco?
7. Quali sono i due ponti famosi?
8. Perchè visiteranno l'isola di Murano?
9. Visiterà Venezia un giorno, Lei?
10. Quali altre città d'Itàlia visiterà?

B. Translate:

1. At Robert's house.
2. It depends on him.
3. Looking at the bridge.
4. Looking for the hotel.
5. Living in the town.

C. (a) Put into the future, and

  (b) Put into the future perfect:

1. Finisco il lavoro.
2. Vendiamo la macchina.
3. Comprano la casa.
4. Arriva all'una.
5. Parte a mezzanotte.

D. (a) Translate into English:

1. Se Maria fosse arrivata prima, avrebbe trovato suo cugino a casa.
2. Se Giovanni fosse ricco, comprerebbe quell'automobile.
3. Se Roberto avesse studiato bene, suo padre sarebbe stato contento.
4. Se ricevessi una lettera, sarei felice.
5. Se andassimo a Pisa, vedremmo la Torre Pendente.

  (b) Translate into Italian:

1. If we had enough money, we would buy a house.
2. If the ladies had arrived in time, they would have seen the race.

3. If we spoke French, the children would understand us.
4. If Mary came before midday, she would see her friend.
5. If you wrote to me in Italian, I would answer your letter.

E. Form sentences using the following words:

1. qualche volta   6. mai
2. fra un anno   7. prima di
3. sei mesi fa   8. prima che
4. ieri   9. appena
5. spesso   10. benchè

LESSON XXX

Idiomatic Expressions with certain Verbs

AVERE

aver caldo	*to be hot, warm*
aver freddo	*to be cold*
aver torto	*to be wrong*
aver ragione	*to be right*
aver appetito (fame)	*to be hungry*
aver sete	*to be thirsty*
aver luogo	*to take place*
aver sonno	*to be sleepy*
aver paura	*to be afraid*
aver bisogno di	*to be in need of*
aver appunto	*to have just*

ESSERE

essere in ritardo	*to be late*
essere d'accordo	*to agree*
essere sul punto di *or* essere per	*to be on the point of*
essere di	*to belong to*

ANDARE

andare a piedi	*to walk*
andare in carrozza	*to ride in a carriage*
andare in automobile *or* in macchina	*to ride in a motor car*
andare a cavallo	*to ride on horseback*
andarsene	*to go away, to be off*

DARE

dare del tu	*to address familiarly*
dare in prestito	*to lend*
dare gli esami	*to take an examination*

FARE

far bel tempo	*to be fine weather*
far cattivo tempo	*to be bad weather*
far caldo	*to be warm, hot*
far freddo	*to be cold*
far umido	*to be damp*
far colazione	*to have breakfast, lunch*
far finta di	*to pretend*
far piacere	*to please*
far male	*to hurt, harm*
far bene	*to do good*
fare una visita	*to pay a visit*
fare una passeggiata	*to go for a walk*
fare una domanda	*to ask a question*
fare attenzione	*to pay attention*
far capolino	*to peep (out, in)*
fare un brindisi	*to drink a toast*
far fare	*to have made*
Note also:	
non fa niente *or* nulla	*it does not matter,* or *never mind*

STARE

stare in piedi	*to stand*
stare per	*to be about to*
star zitto	*to be silent*

VOLERE

voler bene	*to be fond of*
voler dire	*to mean*

SAPERE

sapere a mente *or* a memoria }	*to know by heart*

Classified Vocabulary

1. NOMI DI RAGAZZI	*Boys' names*	2. NOMI DI RAGAZZE	*Girls' names*
Luigi	*Louis*	Anna	*Ann*
Lorenzo	*Lawrence*	Maria	*Mary*
Pietro	*Peter*	Caterina	*Catherine*

Paolo	*Paul*	Ida	*Ida*
Giovanni	*John*	Rita	*Rita*
Giuseppe	*Joseph*	Ada	*Ada*
Guglielmo	*William*	Beatrice	*Beatrice*
Antonio	*Anthony*	Lucia	*Lucy*
Leonardo	*Leonard*	Isabella	*Isabel*
Francesco	*Francis*	Elisabetta	*Elizabeth*

3. ANIMALI DOMESTICI	*Domestic animals*	4. ANIMALI SELVATICI	*Wild animals*
il cane	*dog*	il leone	*lion*
il gatto	*cat*	la tigre	*tiger*
il cavallo	*horse*	l'elefante	*elephant*
il toro	*bull*	il lupo	*wolf*
la mucca, vacca	*cow*	la volpe	*fox*
il bue	*ox*	l'orso	*bear*
l'asino, il ciuco, il somaro	*ass, donkey*	la giraffa	*giraffe*
il maiale	*pig*	la zebra	*zebra*
il mulo	*mule*	il coccodrillo	*crocodile*
il coniglio	*rabbit*	il gorilla	*gorilla*

5. FIORI	*Flowers*	6. ALBERI	*Trees*
il giglio	*lily*	il cipresso	*cypress*
il garofano	*carnation*	il castagno	*chestnut*
il papavero	*poppy*	la quercia	*oak*
la violetta	*violet*	il faggio	*beech*
l'ortensia	*hydrangea*	l'oleandro	*oleander*
la glicine	*wistaria*	la magnolia	*magnolia*
la begonia	*begonia*	il mandorlo	*almond tree*
il geranio	*geranium*	l'olivo	*olive*
la dalia	*dahlia*	il pino	*pine*
la fucsia	*fuchsia*	l'abete	*fir*

7. LE FRUTTA	*Fruit*	8. UCCELLI	*Birds*
la mela	*apple*	la rondinella	*swallow*
la pera	*pear*	l'allodola	*sky-lark*
l'arancia	*orange*	l'usignolo	*nightingale*
la pesca	*peach*	il merlo	*blackbird*

il melone (popone)	melon	il tordo	thrush
il cocomero	water-melon	il pettirosso	robin redbreast
il fico	fig	il passero	sparrow
la susina	plum	il piccione	pigeon
l'uva	grape(s)	la colomba	dove
l'albicocca	apricot	il pappagallo	parrot

9. ERBE	Vegetables	10. MESTIERI	Trades
i piselli	peas	il macellaio	butcher
i fagioli	beans	il fornaio (panettiere)	baker
i carciofi	artichokes	il lattaio	milkman
il pomodoro pl. pomidoro or pomodori	tomato	il fruttivendolo	greengrocer, fruiterer
il cavolo	cabbage	il pescivendolo	fishmonger
il cavolfiore	cauliflower	il pasticciere	confectioner
i fagiolini	French beans	il droghiere	grocer
le carote	carrots	il tabaccaio	tobacconist
le patate	potatoes	il postino	postman
gli zucchini	small vegetable marrows	il sarto	tailor

VOCABULARY

il disturbo	disturbance, trouble	rimanere (irr.)	to remain, stay
il regalo	present, gift	ringraziare	to thank
la conferenza	lecture, conference	caricare	to lade, load
appena	scarcely, barely	ciao	goodbye, hello (colloq.)
		perbacco!	by Jove!

IL RITORNO

Ritornato in Inghilterra, e quando è a casa da appena due giorni, Giovanni riceve la lettera seguente.

Via Trafalgar, 25,
Londra.

10 settembre 1960.

Caro Giovanni,

Eccomi a casa. Spero che tu abbia fatto un buon viaggio fino a casa tua. Vedi, ti do del tu. Siamo buoni amici ora, non è vero? Non so come ringraziarti del disturbo che hai preso per me durante il nostro soggiorno in Italia.

Non potrò mai dimenticare questa vacanza passata con te. I miei genitori sono contenti dei regali, mia sorella è molto contenta della sciarpa di seta pura, e per me ci sono le belle fotografie prese nelle varie città; saranno sempre un buon ricordo della mia visita in Italia con te.

Quest'inverno riprenderò lo studio della lingua italiana e, se avrò tempo, andrò, anche, ad alcune conferenze italiane.

Spesso penso alle belle serate passate insieme, alle gite fatte intorno alle città ed ai laghi.

Ora devo mettermi al lavoro. Le vacanze sono finite e lontane, ma i ricordi rimangono sempre. Di nuovo, mille grazie di tutto.

Ciao, Giovanni; saluti ai tuoi genitori, ed a te,

il tuo amico,

Mario.

EXERCISES

A. Translate:

1. Where are Isabel and Catherine?
2. I think they have gone out.
3. Have William and Lawrence returned?
4. No, not yet, they will be home at 11.30 a.m.
5. I saw four oxen and two mules yesterday.
6. We saw many donkeys laden with fruit and vegetables.
7. Where were they going?
8. To the market; we also went there and bought some fruit.
9. We bought peaches, plums, grapes and a water-melon.
10. Do you like melons? Yes, but I prefer peaches.

B. Translate:

1. A che ora fa colazione, Lei?
2. Verso l'una, di solito.
3. Oggi fa caldo, ieri faceva molto freddo.
4. Abbiamo fatto un brindisi ad alcuni amici.
5. Partiranno per l'Italia fra due giorni.

C. Give the Italian for:

1. November 11th, 1945.
2. December 1st, 1958.
3. This student is twenty-two years old.
4. Two hundred years ago.
5. Five thousand nine hundred and seventy.

D. Translate the words in brackets:

1. Quando (*I was*) dieci anni, (*I spoke*) due lingue.
2. Questa città non ha (*any*) museo.
3. (*Do you know*) questi signori?
4. No, ma (*I know*) che parlano italiano.
5. Rita ha più (*than*) dodici anni.

E. Conjugate in the imperfect and pluperfect tenses:
   　　(*a*) leggere　　　　(*b*) volere　　　　(*c*) venire

F. (*a*) Find the nouns derived   (*b*) Find verbs from the
   from the following verbs: nouns:

arrivare	l'augurio
ballare	la bevanda
cenare	la celebrazione
domandare	la divisione
entrare	l'educazione
fumare	la fine
girare	il gelo
invitare	l'indicazione
leggere	il lavoro
mostrare	la misura
nevicare	la nuotata
ordinare	l'osservazione
perdere	la partenza
rispondere	la quota
salire	il ritorno
telefonare	lo studio
usare	la trovata
vedere	l'uscita
	il viaggio

REVISION TEST

A. Translate and put into the plural:

1. That hand
2. This arm.
3. That foot.
4. The eye.
5. The ear.
6. I like fruit.
7. This town is old.
8. This grape is sweet.
9. That artist is clever.
10. That poem is long.

B. Translate:

1. Non prendevo mai l'autobus.
2. Non incontravamo nessuno.
3. Questi ragazzi non hanno nè padre nè madre.
4. Non starò che due settimane in Italia.
5. Questa mano mi fa male.
6. Queste signorine hanno mal di testa.
7. Dove ha messo il mio biglietto?
8. Non so, sarà sul tavolino.
9. Conosco quella signora.
10. Mi sembra che sia la signora Valli.

C. Translate:

1. Travelling from Milan to Florence . . .
2. By repeating these words . . .
3. Having finished the letter . . .
4. Having been to Rome . . .
5. Saying this phrase . . .
6. Entering the station . . .

D. Translate:

1. We were speaking French.
2. I used to go to France every year.
3. They were selling their house.
4. Peter used to do his work at home.
5. They used to finish at midday.
6. Every year he would go to the same place.

E. Give the comparative and superlative of:

    1. buono   4. lungo
    2. cattivo   5. ricco
    3. grande

F. Translate:

  1. We left at midnight.
  2. We arrived at 8 p.m.
  3. I read this book two years ago.
  4. Margaret wrote to me last week.
  5. We went out together every Monday.
  6. Have you been to the theatre lately?
  7. No, but we will go to the opera next week.
  8. I telephoned Robert two days ago.
  9. Do you think he will come?
 10. No, I think he has a cold.

G. Give (a) the third persons singular and plural, imperfect
      tense, of the following verbs:

    1. cantare   4. tradurre
    2. ricevere   5. finire
    3. fare

(b) the first persons singular and plural, past definite, of:

    1. avere   4. partire
    2. andare   5. leggere
    3. essere

H. Give the comparative and the superlative of the following
   adverbs:

    1. bene   3. molto
    2. male   4. poco

I. Translate the following conversation:

   Pietro. Ci sarà un bel programma domani alla radio.
   Paolo. A che ora?
   Pietro. Alle ventitrè.
   Paolo. Così tardi? Sono tanto stanco a quell'ora dopo il
     mio lavoro.
   Pietro. Ma quando saprai chi suonerà il violino e chi

canterà sono sicuro che non vorrai mancare questo
programma.

Paolo. Dimmi, chi saranno gli artisti?

Pietro. Guarda nel Radiocorriere e troverai i loro nomi.

Paolo. Non ho tempo di guardare adesso, dimmi tu.

Pietro. Il famoso violinista, Raimondo Pucci.

Paolo. Perbacco, hai ragione, non vorrò mancarlo, e
chi canterà?

Pietro. La Celli.

Paolo. Che bel programma!

J. Translate:

Many years ago my father bought a house in the
country. My parents, my little sister and I used to spend
our summer holidays there every year. Sometimes we
invited friends, and we used to go out together for the
whole day. The fresh air and the outdoor life did us so
much good.

K. Answer the following questions on grammar rules:

1. When is the definite article used in Italian and not in
   English?
2. When is the indefinite article omitted in Italian and not
   in English?
3. With what does the past participle of a compound tense
   agree?
4. Translate "some" in three different ways.
5. Translate "only" in three ways.
6. How do masculine nouns ending in -*a* form their plural?
   Give an example.
7. How do nouns ending in -*ista* form their plural? Give
   two examples.
8. Give the different forms of *bello*, with examples.
9. Give the different forms of *buono*, with examples.
10. Name two nouns ending in -*o* which have a feminine
    plural in -*a*.
11. How are adverbs formed? Give examples.
12. How are the comparatives and superlatives of adjectives
    formed in Italian?

13. When is "than" translated by *di*?
14. When is "than" translated by *che*? Give two or three examples.
15. Explain the orthographic changes of verbs ending in -*care* and -*gare*.
16. Give the comparative and superlative of the irregular adverbs *bene* and *male*.
17. What is an impersonal verb? Name two or three.
18. Name two suffixes.
19. Name two prefixes.
20. Name two idiomatic uses of the preposition *da*.

APPENDICES

1. CONJUGATION OF THE AUXILIAR

Infinitive	Gerund and Past Participle	Present Indicative	Future	Conditional
AVERE *to have*	avendo avuto	ho hai ha abbiamo avete hanno	avrò avrai avrà avremo avrete avranno	avrei avresti avrebbe avremmo avreste avrebbero
eSSERE *to be*	essendo stato	sono sei è siamo siete sono	sarò sarai sarà saremo sarete saranno	sarei saresti sarebbe saremmo sareste sarebbero

2. CONJUGATION OF TI

Infinitive	Gerund and Past Participle	Present Indicative	Future	Conditional
PARLARE *to speak*	parlando parlato	parlo parli parla parliamo parlate parlano	parlerò parlerai parlerà parleremo parlerete parleranno	parlerei parleresti parlerebbe parleremmo parlereste parlerebbero
VeNDERE *to sell*	vendendo venduto	vendo vendi vende vendiamo vendete vendono	venderò venderai venderà venderemo venderete venderanno	venderei venderesti venderebbe venderemmo vendereste venderebbero
CAPIRE *to understand*	capendo capito	capisco capisci capisce capiamo capite capiscono	capirò capirai capirà capiremo capirete capiranno	capirei capiresti capirebbe capiremmo capireste capirebbero
PARTIRE *to depart*	partendo partito	parto parti *etc.*	partirò partirai *etc.*	partirei partiresti *etc.*

~ect	Past Definite	Present Subjunctive	Imperfect Subjunctive	Imperative	Present Perfect
	ebbi	abbia	avessi	—	ho avuto
	avesti	abbia	avessi	abbi	*etc.*
	ebbe	abbia	avesse	abbia	
no	avemmo	abbiamo	avessimo	abbiamo	
e	aveste	abbiate	aveste	abbiate	
o	ebbero	abbiano	avessero	abbiano	
	fui	sia	fossi	—	sono stato (a)
	fosti	sia	fossi	sii	*etc.*
	fu	sia	fosse	sia	
no	fummo	siamo	fossimo	siamo	
e	foste	siate	foste	siate	
	furono	siano	fossero	siano	

DEL REGULAR VERBS

~fect	Past Definite	Present Subjunctive	Imperfect Subjunctive	Imperative	Present Perfect
vo	parlai	parli	parlassi	—	ho parlato
i	parlasti	parli	parlassi	parla	*etc.*
~a	parlò	parli	parlasse	parli	
~amo	parlammo	parliamo	parlassimo	parliamo	
~ate	parlaste	parliate	parlaste	parlate	
~ano	parlarono	parlino	parlassero	parlino	
~vo	vendei(-etti)	venda	vendessi	—	ho venduto
~vi	vendesti	venda	vendessi	vendi	*etc.*
~va	vendè(-ette)	venda	vendesse	venda	
~vamo	vendemmo	vendiamo	vendessimo	vendiamo	
~vate	vendeste	vendiate	vendeste	vendete	
~vano	venderono (-ettero)	vendano	vendessero	vendano	
~o	capii	capisca	capissi	—	ho capito
	capisti	capisca	capissi	capisci	*etc.*
~ì	capì	capisca	capisse	capisca	
~amo	capimmo	capiamo	capissimo	capiamo	
~ate	capiste	capiate	capiste	capite	
~no	capirono	capiscano	capissero	capiscano	
~o	partii	parta	partissi	—	sono partito (a)
~i	partisti *etc.*	parta *etc.*	partissi *etc.*	parti, parta *etc.*	*etc.*

209

Here, in alphabetical order, are the most important Irregular V
conjugated according to the rules given for the model verbs.
The rule for forming the Past Definite of Irregular Verbs is

Infinitive	Gerund and Past Participle	Present Indicative	Future	Conditiona
ANDARE *to go*	andando andato	vado vai va andiamo andate vanno	andrò andrai *etc.*	andrei andresti *etc.*
APRIRE *to open*	aprendo aperto	apro apri *etc.*	aprirò aprirai *etc.*	aprirei apriresti *etc.*
BERE *to drink* (*contracted from* bevere)	bevendo bevuto	bevo bevi *etc.*	berrò berrai *etc.*	berrei berresti *etc.*
CADERE *to fall*	cadendo caduto	cado cadi *etc.*	cadrò cadrai *etc.*	cadrei cadresti *etc.*
CHIeDERE *to ask*	chiedendo chiesto	chiedo chiedi *etc.*	chiederò chiederai *etc.*	chiederei chiederesti *etc.*
CHIuDERE *to close, shut*	chiudendo chiuso	chiudo chiudi *etc.*	chiuderò chiuderai *etc.*	chiuderei chiuderesti *etc.*
CONOSCERE *to know*	conoscendo conosciuto	conosco conosci *etc.*	conoscerò conoscerai *etc.*	conoscerei conosceres
CONTENERE *to contain*	*see* tenere			
COPRIRE *to cover*	*see* aprire			
CORRERE *to run*	correndo corso	corro corri *etc.*	correrò correrai *etc.*	correrei correresti *etc.*
CReSCERE *to grow*	crescendo cresciuto	cresco cresci *etc.*	crescerò crescerai *etc.*	crescerei cresceresti *etc.*
DARE *to give*	dando dato	do dai dà diamo date danno	darò darai *etc.*	darei daresti *etc.*
DECÍDERE *to decide*	decidendo deciso	decido decidi *etc.*	deciderò deciderai *etc.*	deciderei decideresti *etc.*

...ect	Past Definite	Present Subjunctive	Imperfect Subjunctive	Imperative	Present Perfect
o i	andai andasti *etc.*	vada vada vada andiamo andiate vadano	andassi andassi *etc.*	— va' vada andiamo andate vadano	sono andato (a) *etc.*
o	aprii apristi *etc.*	apra apra *etc.*	aprissi aprissi *etc.*	— apri apra *etc.*	ho aperto *etc.*
o i	bevvi *or* bevetti bevesti *etc.*	beva beva *etc.*	bevessi bevessi *etc.*	— bevi beva *etc.*	ho bevuto *etc.*
o i	caddi cadesti *etc.*	cada cada *etc.*	cadessi cadessi *etc.*	— cadi cada *etc.*	sono caduto (a) *etc.*
evo evi	chiesi chiedesti *etc.*	chieda chieda *etc.*	chiedessi chiedessi *etc.*	— chiedi chieda *etc.*	ho chiesto *etc.*
evo evi	chiusi chiudesti *etc.*	chiuda chiuda *etc.*	chiudessi chiudessi *etc.*	— chiudi chiuda *etc.*	ho chiuso *etc.*
cevo cevi	conobbi conoscesti *etc.*	conosca conosca *etc.*	conoscessi conoscessi *etc.*	— conosci conosca *etc.*	ho conosciuto *etc.*
vo vi	corsi corresti *etc.*	corra corra *etc.*	corressi corressi *etc.*	— corri corra *etc.*	ho corso *etc.*
evo evi	crebbi crescesti *etc.*	cresca cresca *etc.*	crescessi crescessi *etc.*	— cresci cresca	sono } cresciuto ho } *etc.*
	diedi *or* detti desti diede *or* dette demmo deste diedero	dia dia *etc.*	dessi dessi *etc.*	— da' dia *etc.*	ho dato *etc.*
evo evi	decisi decidesti *etc.*	decida decida *etc.*	decidessi decidessi *etc.*	— decidi decida *etc.*	ho deciso *etc.*

211

Infinitive	Gerund and Past Participle	Present Indicative	Future	Conditional
DIRE *to say, tell* (*contracted from* dicere)	dicendo detto	dico dici dice diciamo dite dícono	dirò dirai *etc.*	direi diresti *etc.*
DIVENIRE *to become*	*see* venire			
DOVERE *to have to, to be obliged to, to owe*	dovendo dovuto	devo devi deve dobbiamo dovete devono	dovrò dovrai *etc.*	dovrei dovresti *etc.*
FARE *to do, make* (*contracted from* facere)	facendo fatto	faccio fai fa facciamo fate fanno	farò farai *etc.*	farei faresti *etc.*
GIUNGERE *to arrive, reach*	giungendo giunto	giungo giungi *etc.*	giungerò giungerai *etc.*	giungerei giungeresti *etc.*
LEGGERE *to read*	leggendo letto	leggo leggi *etc.*	leggerò leggerai *etc.*	leggerei leggeresti *etc.*
METTERE *to put*	mettendo messo	metto metti *etc.*	metterò metterai *etc.*	metterei metteresti *etc.*
MORIRE *to die*	morendo morto	muoio muori muore moriamo morite muoiono	morirò *or* morrò morirai *etc.*	morirei moriresti *etc.*
NASCERE *to be born*	nascendo nato	nasco nasci *etc.*	nascerò nascerai *etc.*	nascerei nasceresti *etc.*
NASCONDERE *to hide, conceal*	nascondendo nascosto	nascondo nascondi *etc.*	nasconderò nasconderai *etc.*	nasconderei nasconderesti *etc.*
OFFRIRE *to offer*	*see* aprire			
PERDERE *to lose*	perdendo perso *or* perduto	perdo perdi *etc.*	perderò perderai *etc.*	perderei perderesti *etc.*
PERMETTERE *to allow, permit*	*see* mettere			
PIACERE *to please*	piacendo piaciuto	piaccio piaci piace piacciamo piacete piacciono	piacerò piacerai *etc.*	piacerei piaceresti *etc.*

212

...fect	Past Definite	Present Subjunctive	Imperfect Subjunctive	Imperative	Present Perfect
...o ...i	dissi dicesti etc.	dica dica etc.	dicessi dicessi etc.	— di' dica etc.	ho detto etc.
...vo ...vi	dovei or dovetti dovesti etc.	debba debba debba dobbiano dobbiate debbano	dovessi dovessi etc.	No imperative	ho dovuto etc.
...o ...i	feci facesti fece facemmo faceste fecero	faccia faccia etc.	facessi facessi etc.	— fa' faccia etc.	ho fatto etc.
...gevo ...gevi	giunsi giungesti etc.	giunga giunga etc.	giungessi giungessi etc.	— giungi giunga etc.	sono giunto (a) etc.
...vo ...vi	lessi leggesti etc.	legga legga etc.	leggessi leggessi etc.	— leggi legga etc.	ho letto etc.
...evo ...evi	misi mettesti etc.	metta metta etc.	mettessi mettessi etc.	— metti metta etc.	ho messo etc.
...vo ...vi	morii moristi etc.	muoia muoia muoia moriamo moriate muoiano	morissi morissi etc.	— muori muoia etc.	sono morto (a) etc.
...evo ...evi	nacqui nascesti etc.	nasca nasca etc.	nascessi nascessi etc.	— nasci nasca etc.	sono nato (a) etc.
...ondevo ...ondevi	nascosi nascondesti etc.	nasconda nasconda etc.	nascondessi nascondessi etc.	— nascondi nasconda etc.	ho nascosto etc.
...evo ...evi	persi perdesti etc.	perda perda etc.	perdessi perdessi etc.	— perdi perda etc.	ho perso or perduto etc.
...evo ...evi	piacqui piacesti etc.	piaccia piaccia etc.	piacessi piacessi etc.	— piaci piaccia etc.	ho piaciuto etc.

Infinitive	Gerund and Past Participle	Present Indicative	Future	Conditional
PIOVERE *to rain*	piovendo piovuto	piove	pioverà	pioverebbe
POTERE *to be able*	potendo potuto	posso puoi può possiamo potete possono	potrò potrai *etc.*	potrei potresti *etc.*
PReNDERE *to take*	prendendo preso	prendo prendi *etc.*	prenderò prenderai *etc.*	prenderei prenderesti *etc.*
RICONOSCERE *to recognise*	*see* conoscere			
RiDERE *to laugh*	ridendo riso	rido ridi *etc.*	riderò riderai *etc.*	riderei rideresti *etc.*
RIMANERE *to remain*	rimanendo rimasto	rimango rimani rimane rimaniamo rimanete rimangono	rimarrò rimarrai *etc.*	rimarrei rimarresti *etc.*
RISPONDERE *to reply*	rispondendo risposto	rispondo rispondi *etc.*	risponderò risponderai *etc.*	risponderei risponderesti *etc.*
RIUSCIRE *to succeed*	*see* uscire			
SALIRE *to mount, ascend*	salendo salito	salgo sali sale saliamo salite salgono	salirò salirai *etc.*	salirei saliresti *etc.*
SAPERE *to know*	sapendo saputo	so sai sa sappiamo sapete sanno	saprò saprai *etc.*	saprei sapresti *etc.*
SCeGLIERE *to choose*	scegliendo scelto	scelgo scegli sceglie scegliamo scegliete scelgono	sceglierò sceglierai *etc.*	sceglierei sceglieresti *etc.*
SCeNDERE *to descend*	scendendo sceso	scendo scendi *etc.*	scenderò scenderai *etc.*	scenderei scenderesti *etc.*
SCOMMeTTERE *to bet, wager*	*see* mettere			
SCOPRIRE *to discover*	*see* aprire			
SCRiVERE *to write*	scrivendo scritto	scrivo scrivi *etc.*	scriverò scriverai *etc.*	scriverei scriveresti *etc.*

214

...ect	Past Definite	Present Subjunctive	Imperfect Subjunctive	Imperative	Present Perfect
...a	piovve	piova	piovesse	*No imperative*	ha è } piovuto
	potei potesti *etc.*	possa possa *etc.*	potessi potessi *etc.*	*No imperative*	ho potuto *etc.*
...vo ...vi	presi prendesti *etc.*	prenda prenda *etc.*	prendessi prendessi *etc.*	— prendi prenda *etc.*	ho preso *etc.*
	risi ridesti *etc.*	rida rida *etc.*	ridessi ridessi *etc.*	— ridi *etc.*	ho riso *etc.*
...vo ...vi	rimasi rimanesti *etc.*	rimanga rimanga *etc.*	rimanessi rimanessi *etc.*	— rimani rimanga *etc.*	sono rimasto (a) *etc.*
...devo ...devi	risposi rispondesti *etc.*	risponda risponda *etc.*	rispondessi rispondessi *etc.*	— rispondi risponda *etc.*	ho risposto *etc.*
	salii salisti *etc.*	salga salga *etc.*	salissi salissi *etc.*	— sali salga *etc.*	sono salito (a) *etc.*
...?	seppi sapesti *etc.*	sappia sappia *etc.*	sapessi sapessi *etc.*	— sappi sappia *etc.*	ho saputo *etc.*
...vo ...vi	scelsi scegliesti *etc.*	scelga scelga *etc.*	scegliessi scegliessi *etc.*	— scegli scelga *etc.*	ho scelto *etc.*
...vo ...vi	scesi scendesti *etc.*	scenda scenda *etc.*	scendessi scendessi *etc.*	— scendi scenda *etc.*	sono sceso (a) *etc.*
...vo ...vi	scrissi scrivesti *etc.*	scriva scriva *etc.*	scrivessi scrivessi *etc.*	— scrivi scriva *etc.*	ho scritto *etc.*

Infinitive	Gerund and Past Participle	Present Indicative	Future	Conditional
SEDERE _to sit_ SEDERSI _to sit down_	sedendo seduto	siedo _or_ seggo siedi siede sediamo sedete siedono _or_ seggono	sederò sederai _etc._	sederei sederesti _etc._
SOFFRIRE _to suffer_	_see_ aprire			
SORRÍDERE _to smile_	_see_ ridere			
SPeNDERE _to spend_	_see_ prendere			
SPÍNGERE _to push_	spingendo spinto	spingo spingi _etc._	spingerò spingerai _etc._	spingerei spingeresti _etc._
STARE _to stay (be)_	stando stato	sto stai sta stiamo state stanno	starò starai _etc._	starei staresti _etc._
TENERE _to hold_	tenendo tenuto	tengo tieni tiene teniamo tenete tengono	terrò terrai _etc._	terrei terresti _etc._
TOGLIERE _to take off_	togliendo tolto	tolgo togli toglie togliamo togliete tolgono	toglierò toglierai _etc._	toglierei toglieresti _etc._
TRADURRE _to translate (contracted from_ traducere_)_	traducendo tradotto	traduco traduci _etc._	tradurrò tradurrai _etc._	tradurrei tradurresti _etc._
UDIRE _to hear_	udendo udito	odo odi ode udiamo udite odono	udirò udirai _etc._	udirei udiresti _etc._
USCIRE _to go out_	uscendo uscito	esco esci esce usciamo uscite escono	uscirò uscirai _etc._	uscirei usciresti _etc._

...fect	Past Definite	Present Subjunctive	Imperfect Subjunctive	Imperative	Present Perfect
•	sedei sedesti etc.	sieda or segga segga etc.	sedessi sedessi etc.	— siedi segga etc.	sono seduto (a) etc.
vo vi	spinsi spingesti etc.	spinga spinga etc.	spingessi spingessi etc.	— spingi spinga etc.	ho spinto etc.
	stetti stesti stette stemmo steste stettero	stia stia stia stiamo stiate stíano	stessi stessi etc.	— sta' stia etc.	sono stato (a) etc.
ɔ	tenni tenesti etc.	tenga tenga etc.	tenessi tenessi etc.	— tieni tenga etc.	ho tenuto etc.
vo vi	tolsi togliesti etc.	tolga tolga etc.	togliessi togliessi etc.	— togli tolga etc.	ho tolto etc.
cevo cevi	tradussi traducesti etc.	traduca traduca etc.	traducessi traducessi etc.	— traduci traduca etc.	ho tradotto etc.
	udii udisti etc.	oda oda etc.	udissi udissi etc.	— odi oda etc.	ho udito etc.
ɔ i	uscii uscisti etc.	esca esca etc.	uscissi uscissi etc.	— esci esca etc.	sono uscito (a) etc.

Infinitive	Gerund and Past Participle	Present Indicative	Future	Conditional

VEDERE
  to see
	vedendo
	veduto *or* visto
		vedo
		vedi
		  etc.
			vedrò
			vedrai
			  etc.
				vedrei
				vedresti
				  etc.

VENIRE
  to come
	venendo
	venuto
		vengo
		vieni
		viene
		veniamo
		venite
		vengono
			verrò
			verrai
			  etc.
				verrei
				verresti
				  etc.

VOLERE
  to want
	volendo
	voluto
		voglio
		vuoi
		vuole
		vogliamo
		volete
		vogliono
			vorrò
			vorrai
			  etc.
				vorrei
				vorresti
				  etc.

_ct_	Past Definite	Present Subjunctive	Imperfect Subjunctive	Imperative	Present Perfect
	vidi vedesti _etc._	veda veda _etc._	vedessi vedessi _etc._	— vedi veda _etc._	ho veduto _etc._
	venni venisti _etc._	venga venga _etc._	venissi venissi _etc._	— vieni venga _etc._	sono venuto (a) _etc._
	volli volesti _etc._	voglia voglia _etc._	volessi volessi _etc._	— vogli voglia _etc._	ho voluto _etc._

VOCABULARIES

ITALIAN-ENGLISH VOCABULARY

A

a, ad, to, at, in
abbacchio, young lamb
abbronzato, sunburnt, tanned
abitante (*m.*), inhabitant
abitare, to live, dwell
abito, dress, coat, clothes
aceto, vinegar
acqua, water
Adriatico, Adriatic
aeroplano, aeroplane
affittare, to let, hire, lease
agitato, agitated, troubled
  mare agitato, rough sea
agnello, lamb
agosto, August
aiutare, to help
albergo, hotel
albero, tree
albicocca, apricot
albicocco, apricot tree
alcuno, some, any
alfabeto, alphabet
allora, then
Alpi (*f. pl.*), Alps
alto, high, tall
altrimenti, otherwise
altro, other
alunno, pupil
alzare, to raise, lift
alzarsi, to get up
amare, to love
amaro, bitter
amica (*pl.* amiche) friend
amico (*pl.* amici), friend
ammalato, sick, unwell
ammirare, to admire
amore (*m.*), love
anche, also, too, even
ancora, still, again, yet
andare (*irr.*), to go
Andrea, Andrew

anello, ring
anglicano, Anglican
angolo, corner
animale (*m.*), animal
anitra, duck
Anna, Ann, Anne
anno, year
anno bisestile, Leap Year
ansioso, anxious
antico, ancient
Antonio, Anthony
appetito, appetite
applicare, to apply
aprile, April
aprire, to open
ara, altar
arancia, orange
aranciata, orangeade
argento, silver
aria, air
arido, dry
armadio, wardrobe, cupboard
arrivare, to arrive
arrivo, arrival
arrosto, roast
arte (*f.*), art
articolo, article
ascensore (*m.*), lift, escalator
asciugamano, towel
ascoltare, to listen
asino, donkey
aspettare, to wait
assai, quite, very
assegno, cheque
assegno turistico, tourist cheque
atrio, entrance hall, lobby
attentamente, attentively
audacia, audacity, daring
Austria, Austria
autista (*m.*), chauffeur, motor driver
automobile (*f.*), motor-car, automobile

autunno, autumn
avanti, before; forward!
avere (*irr.*), to have
azzurro, blue

B

babbo, daddy
baciare, to kiss
bacio, kiss
bagaglio, luggage
bagno, bath
balcone (*m.*), balcony
ballare, to dance
bambino, baby
bambola, doll
banana, banana
banca, bank
Banca Commerciale,
   Commercial Bank
banchina, platform
banco, desk
bar (*m.*), bar
barca, boat, barge
barca a motore, motor-launch
barca a vela, sailing boat
basilica, basilica
basso, low
battistero, baptistry
bello, beautiful, fine
bene (*adv.*), well, good
benzina, petrol
bere (*irr.*), to drink
Berlino, Berlin
bevanda, drink
bianco, white
bibita, drink
biblioteca, library
bicchiere (*m.*), glass, tumbler
bicicletta, bicycle
biglietto, ticket
binario, railway line, track
biondo, fair, blonde
birra, beer
biscotto, biscuit
bistecca, beefsteak
bizantino, Byzantine
bocca, mouth
borsa, purse

bosco, wood, forest
bottiglia, bottle
braccialetto, bracelet
braccio, arm
bramare, to long for, yearn
brama, yearning
bravo, clever; good! splendid!
breve, brief, short
brillare, to shine
brodo, broth
bruno, (dark) brown
brutto, ugly
bue (*m.—pl.* **buoi**), ox, oxen
buono, good
burro, butter
busta, envelope
buttare, to throw

C

cabina, cabin
cadere, to fall
caffè (*m.*), coffee
caldo, hot
calendario, calendar
calmo, calm
calza, stocking
cambiare, to change
cambio, change
camera, bedroom
cameriera, maid, waitress
cameriere (*m.*), waiter
camicia, shirt
camminare, to walk
campagna, country
campana, bell
campanello, small bell
campanile (*m.*), bell tower
campo, field
canale (*m.*), canal
Canal Grande, Grand Canal
cancellare, to erase
cane (*m.*), dog
cantare, to sing
capello, hair
capire, to understand
capitale (*f.*), capital
capitolo, chapter
capo, head

capolavoro, masterpiece
capostazione (m.), stationmaster
cappella, chapel
cappello, hat
cappuccino, coffee (with milk)
caramella, boiled sweet
cardinale (m.), cardinal
Carlo, Charles
carne (f.), meat
caro, dear, expensive
carrozza, carriage
carta, paper
carta geografica, map
cartolina, postcard
casa, house
castello, castle
Caterina, Catherine
cattedrale (f.), cathedral
cattivo, bad, naughty
cattolico, Catholic
causa, cause
cavallo, horse
caviglia, ankle
cavolo, cabbage
celebrare, to celebrate
celebrazione (f.), celebration
celeste, pale blue
cena, supper
Il Cenacolo or
L'Ultima Cena } The Last Supper
cenere (f.), ash
cento, one hundred
centrale, central
centuno, one hundred and one
cera, wax
cercare, to look for
cerino, wax match
certo, certain, sure
cestino, basket
cestino da viaggio, lunch-basket
che (conj.), that, than
che (pron.), who, whom, that, which
che cosa? what?
  ma che! of course not!
  che c'è? what is the matter?
  che peccato! what a pity!
chi, who, whom, one who . . .
chiamare, to call

chiaramente, clearly
chiave (f.), key
chiedere (irr.), to ask
chiesa, church
chiudere (irr.), to close
chiuso, closed
ci (adv.), here, there; in it
ci (pron.), us, to us, ourselves, to
  ourselves; to each other
  c'è, there is; ci sono, there are
ciao, goodbye, hello (colloq.)
ciascuno, each, each one
cibo, food
cielo, sky
ciglio, eyelash
ciliegia, cherry
cinquanta, fifty
cinquantuno, fifty-one
cinque, five
ciò, that, this
cioccolata, chocolate
cioè, namely, that is
cipolla, onion
circa, almost, about
città, town
classe (f.), class
clima (m.), climate
coccodrillo, crocodile
cocomero, watermelon
coda, queue, tail
  far coda or la fila, to form a queue
codesto, cotesto, this, that
cognato, brother-in-law
coincidenza, connection (of trains)
colazione (f.), lunch
  prima colazione, breakfast
colonna, column
collega (m. or f.), colleague
colletto, collar
collina, hill
collo, neck
colomba, dove
colore (m.), colour
Colosseo, Colosseum
coltello, knife
come, how, like, such as
  come sta? how are you?
cominciare, to begin

communicazione (*f.*), communication

comodo, comfortable

compleanno, birthday

completare, to complete

comprare, to buy

con, with

condire, to season

conduttore, guard

coniglio, rabbit

conoscere (*irr.*), to know (*be acquainted*)

conservare, to keep, to retain

consistere, to consist

contadino, peasant

contento, glad, satisfied

continente (*m.*), continent

continuamente, continually

conto, bill

controllo, inspection

controllore (*m.*), inspector

conversare, to converse

coperta, deck

corpo, body

corsa, race

corto, short

cosa, thing

così, so, as, thus

costa, coast

costare, to cost

costruire, to build

costume (*m.*), costume

costume da bagno, swimsuit

cotone (*m.*), cotton

cotto, cooked

cravatta, tie

credenza, sideboard

credere, to believe

croce (*f.*), cross

crudo, raw

cucchiaino, teaspoon

cucchiaio, spoon

cucina, kitchen

cucinare, to cook

cugino, cousin

cui, whom, which

cuore (*m.*), heart

cupola, dome

H

curiosità, curiosity

D

da, from, by

danaro, money

dappertutto, everywhere

dare (*irr.*), to give

debole, weak

decidere (*irr.*), to decide

decimo, tenth

definito, definite

del (**di** + **il**), of the

delizioso, delightful, delicious

deluso, disappointed

denaro, money

dente (*m.*), tooth

dentro, inside

destro, a destra, right, to the right

dettare, to dictate

dettato, dictation

devotissimo, *abb.* **devmo**, (yours) truly, faithfully

di, of

dicembre, December

diciannove, nineteen

diciassette, seventeen

diciotto, eighteen

dieci, ten

dietro, behind

differente, different

difficile, difficult

dimenticare, to forget

dire (*irr.*), to say

direzione (*f.*), direction

distante, distant

distanza, distance

distinti saluti, kind regards

dito (*f. pl.* **dita**), finger

diventare, to become

divertirsi, to amuse oneself

dividere (*irr.*), to divide

dizionario, dictionary

dodici, twelve

dogana, customs

doganiere (*m.*), customs officer

dolce, sweet

domanda, question

domandare, to ask

pomani, tomorrow
domenica, Sunday
domestica, servant, maid
donna, woman
dopo, after
dormire, to sleep
dove, where
due, two
dunque, then, therefore
duomo, cathedral
durare, to last

E

e, ed, and
è, is
eccetera, etcetera
eccitato, excited
ecco, here is/are, there is/are
edificare, to build
edifício (pl. edifici), building
egli, he
elegante, elegant
elettrico, electric
Elisabetta, Elizabeth
ella, she
Enrico, Henry
entrare, to enter
entrata, entrance
Epifania, Befana, Epiphany
epoca, epoch, era
erba, grass, vegetable
esagerato, exaggerated
esempio, example
espresso, express
　(caffè) espresso, strong black
　　coffee
essa, she, it
essere (irr.), to be
esso, he, it
est (m.), east
estate (f.), summer (noun)
esterno, exterior
estero, foreign
estivo, summer (adj.)
età, age
eterno, eternal
Europa, Europe
evitare, to avoid

F

fabbrica, factory
facchino, porter
faccia, face
facciata, façade, front
facile, easy
fagiolino, French bean
famiglia, family
fantastico, fantastic
fantino, jockey
fare (irr.), to make, to do
farfalla, butterfly
farmacia, chemist's shop
farmacista (m. or f.), chemist
fatto (noun), fact
fatto, p.p. of fare, done, made
favore (m.), favour, kindness
　per favore, please
fazzoletto, handkerchief
febbraio, February
fermare, to stop
fermarsi, to stop oneself
ferrovia, railway
fertile, fertile
festa, feast
fiasco, flask
figlio, son
fila, queue, line
finale, final
fine (f.), end
finestra, window
finestrino, small window; carriage
　window
finire, to finish
fino, fine, thin
fino a, until, as far as
fiore (m.), flower
Firenze, Florence
fiume (m.), river
foglia, leaf
foglio, sheet of paper
fontana, fountain
forchetta, fork
formaggio, cheese
foro, Forum
forse, perhaps
forte, strong
fotografia, photograph

fra, between, in
fragola, strawberry
Francesco, Francis
francese, French
Francia, France
francobollo, stamp
frase (f.), phrase, sentence
fratellino, little brother
fratello, brother
freddo, cold
fresco, cool, fresh
frittata, omelet
fritto, fried
fronte (f.), forehead
frutta, fruit
fruttivendolo, fruiterer
fumare, to smoke
fuoco (pl. fuochi), fire
fuori, outside
futuro, future

G

gaio, gay
gamba, leg
galleria, gallery, arcade, tunnel
gallina, hen
gallo, cock
garofano, carnation
gatto, cat
gelato, ice-cream
generale, general
genero, son-in-law
generosità, generosity
genitore (m.), father, (pl.) parents
gennaio, January
Genova, Genoa
gente (f.), people
gentile, gentle, kind
Germania, Germany
gesso, chalk
ghiaccio, ice
già, already
giacca, jacket
Giacomo, James
giallo, yellow
giardino, garden
giglio, lily
ginocchio, knee

giocare, to play (a game)
gioielliere (m.), jeweller
gioiello, jewel
Giorgio, George
giornalaio, newsagent
giornale (m.), newspaper
giorno, day
  buon giorno, good day
giovane, young
Giovanni, John
giovanotto, youth
giovedì (m.), Thursday
girare, to tour
giro, tour
gita, excursion
giugno, June
Giuseppe, Joseph
giusto, just
gli, the (def. art. m. pl.); to him (pron.)
glielo, gliela, it to him, it to her
glieli, gliele, them to him, them to her
gnocco, dumpling
godere, to enjoy
gola, throat
gomito, elbow
gondola, gondola
gondoliere (m.), gondolier
gotico, Gothic
gradito, welcome
grammatica, grammar
grande, great, large, big
grazia, favour, grace
grazie, thank you
  grazie tante, many thanks
gridare, to shout
guancia, cheek
guanciale (m.), pillow
guanto, glove
guardare, to look at
guglia, spire
Guglielmo, William
guida, guide, guidebook
gusto, taste

I

idea, idea
ieri, yesterday
imitare, to imitate

immenso, immense
imparare, to learn
importanza, importance
impressione (*f.*), impression
in, in
incantevole, charming, enchanting
incerto, uncertain
inchiostro, ink
incitare, to incite
incitamento, incitement
incontrare, to meet
indicare, to point at
indirizzo, address
industria, industry
infatti, indeed, in fact
informazione (*f.*), information
Inghilterra, England
inglese, English
ingrato, ungrateful
ingresso, entrance
insalata, salad
insegnare, to teach
insieme, together
installare, to install
intanto, meantime, meanwhile
interdetto, forbidden
interessante, interesting
interno, interior
intorno, around
inverno, winter
invitare, to invite
io, I
isola, island
Italia, Italy
italiano, Italian
itinerario, itinerary
Iugoslavia, Jugoslavia

L

la (*pron.*), she, it, you
la (*art.*), the
là (*adv.*), there
labbro (*pl.* **labbra**) (*f.*), lip
lacrima, tear
lacrimare, to cry, weep
ladro, thief
laggiù, down there
lago (*pl.* **laghi**), lake

lampada, lamp
lampone (*m.*), raspberry
lana, wool
largo, wide
lasciare, to leave
latte (*m.*), milk
latteria, dairy
lavare, to wash
lavarsi, to wash oneself
lavorare, to work
lavoro, work
leggere, to read
legna, firewood
legno, wood
legume (*m.*), vegetable
Lei, you
lei, she, her
lento, slow
lenzuolo (*pl.* **lenzuola**) (*f.*), sheet
lesso, boiled meat
lettera, letter
letteratura, literature
letto, bed
lezione (*f.*), lesson
libero, free, vacant
libro, book
Liguria, Liguria
limonata, lemonade
limone (*m.*), lemon
limpido, limpid
lineetta, dash, hyphen
lingua, tongue, language
liquore (*m.*), liquor
lira, lira sterlina, lira (*Italian money*); English pound (*sterling*)
lo (*pl.* **gli**), the
lo (*pl.* **li**), him, it
locale, local
Londra, London
lontano, distant, far
loro, they
luce (*f.*), light
luglio, July
lui, him
Luigi, Louis
luminoso, luminous, clear
luna, moon
lunedì (*m.*), Monday

lungo (*pl.* lunghi), long
luogo (*pl.* luoghi), place

M

ma, but
macchina, machine
macchina fotografica, camera
macedonia di frutta, fruit salad
macellaio, butcher
macelleria, butcher's shop
madre, mother
maestro, master, teacher
maggio, May
maggiore, major
magnifico (*pl.* magnifici), magnificent
maiale (*m.*), pig
malato, sick
male, badly
mandare, to send
mangiare, to eat
Manica, English Channel
mano (*f.*), hand
manzo, beef
marciapiede (*m.*), platform
marco, mark
mare (*m.*), sea
Margherita, Margaret
margheritina, daisy
Maria, Mary
marina, seashore
Mario, Marius
marito, husband
marmellata, marmalade, jam
marmo, marble
marrone, chestnut brown
martedì (*m.*), Tuesday
Martino, Martin
marzo, March
masticare, to chew
matita, pencil
mattina, morning
me, me
medicina, medicine
medico, doctor
medio, middle
medioevale, medieval
Mediterraneo, Mediterranean

meglio, better
mela, apple
melodia, melody
melone (*m.*), melon
membro (*pl.* membra), limb
meno, less, minus
menta, mint
mento, chin
mentre, while
meraviglia, marvel
meraviglioso, marvellous, wonderful
mercato, market
mercoledì (*m.*), Wednesday
meridionale, southern
merluzzo, cod, codfish
mese (*m.*), month
messa, Mass
mesto, sad
metà, half (*measure*)
metallo, metal
mettere, to place, put
mezzanotte (*f.*), midnight
mezzo, half
mezzogiorno, midday
mi, me, to me, myself
Michele, Michael
miglio (*pl.* miglia) (*f.*), mile
migliore, better
Milano, Milan
milione, million
mille (*pl.* mila), thousand
minerale (*m.*), mineral
minuto, minute
mio, my, mine
miracolo, miracle
misterioso, mysterious
mite, mild
mobile (*adj.*), mobile, movable
mobile (*m.*), piece of furniture
moderno, modern
modo, way, manner
moglie (*f.*), wife
molo, pier, quay
molto, much
mondo, world
montagna, monte (*m.*), mountain
morire (*irr.*), to die

mos*a*ico, mosaic
mosca (*pl.* mosche), fly
mostra, exhibition
mostrare, to show
mucca (*pl.* mucche), cow
mulo, mule
munic*i*pio, Town Hall
muro (*f. pl.* mura), wall (*of a city*)
museo, museum
musicale, musical

N

n*a*ilon (*m.*), nylon
N*a*poli, Naples
narrare, to narrate
narrazione (*f.*), story, tale
n*a*scere (*irr.*), to be born
naso, nose
Natale (*m.*), Christmas
naturale, natural
nave (*f.*), ship
ne (*pron.*), of him, of it
ne (*partitive*), some, any
nebbia, fog
negozio (*pl.* negozi), shop
nemico, enemy
nero, black
neve (*f.*), snow
nev*i*care, to snow
Niccolò, Nicholas
niente, nothing
nipote (*m.* or *f.*), nephew, neice
no, no, not
noce (*f.*), nut, walnut
noce di cocco, coconut
noi, we, us
nome (*m.*), name
non, not
nonno, grandfather
nono, ninth
nord (*m.*), north
nostro, our
notare, to note
notte (*f.*), night
novanta, ninety
novantuno, ninety-one
nove, nine
novembre, November

nulla, nothing
n*u*mero, number
numeroso, numerous
nuotare, to swim
nuovo, new
n*u*vola, cloud

O

o, or; o . . . o, either . . . or
obbligato, obliged
oca (*pl.* oche), goose
occasione (*f.*), occasion
occhiali (*m. pl.*), spectacles
occhio (*pl.* occhi), eye
occidentale, western
occidente (*m.*), west
occupato, busy, occupied
odorare, to smell
odore (*m.*), smell, scent
offrire (*irr.*), to offer
oggetto, object
oggi, today
ogni, every
ogni tanto, now and again
ognuno, everyone, each one
oleandro, oleander
olio, oil
olivo, olive
ombra, shade
ombrellone (*m.*), large umbrella
onda, wave
onesto, honest
opera, work, opera
oper*a*io, workman
ora, hour, time
oramai, now, by this time
or*a*rio, timetable
orchestra, orchestra
ordinale, ordinal
ordinare, to order
or*e*cchio, ear
or*e*fice (*m.*), goldsmith
orientale, eastern
oriente (*m.*), East
originale, original
oro, gold
orologio, watch, clock
osare, to dare

osservare, to observe
osso, bone
ottanto, eighty
ottantuno, eighty-one
ottavo, eight
ottenere, to obtain
ottimo, very good
otto, eight
ottobre, October
ottone (m.), brass
ovest (m.), west
ozioso, idle, lazy

P

pacco, parcel
Padova, Padua
padre, father
paesaggio, landscape
pagare, to pay
pagina, page
paglia, straw
paio (f. pl. paia), pair
palazzo, palace, mansion
palma, palm (hand, branch of tree)
pane (m.), bread
panettiere (m.), baker
panino, bread roll
panna, cream
panteon (m.), Pantheon, temple
Paolo, Paul
papavero, poppy
pappagallo, parrot
paradiso, paradise
parco, park
parecchio, some, considerable (time)
parecchi (pl.), several, many
parente (m. or f.), relative
Parigi, Paris
parlare, to speak
parmigiano, Parmesan
parola, word
parte (f.), part
partenza, departure
particolarmente, particularly
partire, to leave
Pasqua, Easter
passaporto, passport

passare, to pass; to spend (time)
passato, past
passeggiare, to stroll
passeggiata, walk
passeggiero, passenger
pasta, paste (dough)
patata, potato
paura, fear
pavimento, floor, pavement
paziente (adj.), patient
peggio, worse
pelle (f.), skin, leather
pena, sorrow, suffering
pendente, leaning
penísola, peninsula
penna, pen
pensare, to think
pensiero, thought
pepe (m.), pepper
per, for, through, by
pera, pear
perchè, why
perciò, therefore
perdere, to lose
perdita, loss
perfetto, perfect
perfino, even
permesso, permission
permesso! allow me! excuse me!
permettere, to allow, to permit
però, however
persona, person
personale, personal
pesante, heavy
pesca (pl. pesche), peach
pesce (m.), fish
pescivendolo, fish-hawker
pesco (pl. peschi), peach tree
pezzo, piece
piacere (vb.), to please
piacere (m.), pleasure
   per piacere, please
piacevole, pleasant
piangere, to weep, to cry
pianista (m. or f.), pianist
piano, floor, storey
pianoforte (m.), piano
pianta, plant

piattino, saucer
piatto, plate, dish
piazza, square
piccolo, small, little
piede (m.), foot
pieno, full
pietra, stone
Pietro, Peter
pigliare, to take, catch
pigro, lazy
pineta, pine wood
pioggia, rain
pipa, pipe
piramide (f.), pyramid
piroscafo, steamer
piscina, swimming pool
pisello, pea
pittore (m.), painter
pittura, painting
più, more
placido, placid
poco, po', little
podere (m.), farm
poeta (m.), poetessa (f.), poet
poi, then, afterwards, next
pollo, chicken
polmone (m.), lung
polso, wrist
poltrona, armchair
pomeriggio, afternoon
pomodoro, tomato
ponte (m.), bridge
porcellana, porcelain, china
porco, pig
porta, door
porta principale, main door
portare, to carry, to bring
porto, harbour, port
porzione (f.), portion, share
posizione (f.), position
possibile, possible
posta, post
postino, postman
posto, place
potere (irr.), to be able
povero, poor
pranzare, to dine
pranzo, dinner

pratico, practical
prato, meadow, lawn
precedere, to precede
preciso, precise
preferire, to prefer
pregare, to pray
prego! don't mention it!
prendere, to catch, to take
preparare, prepararsi, to prepare
  (oneself)
presentare, to present
presente (adj.), present
prestare, to lend
presto, soon, quick
prezioso, precious
prezzo, price
primavera, spring
primo, first
principale, principal
probabile, probable
professore (m.), professoressa
  (f.), professor
profondo, deep, profound
profumo, perfume
programma (m.), programme
progresso, progress
pronto, ready: hello (telephone)
pronunziare, to pronounce
proprio, own
prosciutto, ham
prossimo, next
provare, to prove
provincia, province
pubblico, public
pulcino, chick
pulire, to clean
pulpito, pulpit
pure, also, too
puro, pure

Q

quaderno, exercise book
quadrato, square
quadro, picture
qualche, some, any
quale, which, what
quanto? how much?
quaranta, forty

quarantuno, forty-one
quartiere (m.), district
quarto, fourth
quasi, almost
quattordici, fourteen
quattro, four
quello, that
quercia, oak, oak-tree
questo, this
qui, here
quindici, fifteen
quinto, fifth

R

raccontare, to relate
radio (f.), radio, wireless
ragazzo, -a, boy, girl
raggiungere, to reach
ragione (f.), reason
rallentare, to slow down
rapido, fast
rappresentare, to represent
raro, rare
re (m.), king
recente, recent
regalo, present, gift
regina, queen
regione (f.), region
remare, to row
resistere, to resist
respirare, to breathe
restare, to remain
rete (f.), net; luggage rack
ricchezza, wealth
ricco, rich
ricevere, to receive
riconoscere, to recognise
ricordo, souvenir
ridere (irr.), to laugh
ridicolo, ridiculous
rifiutare, to refuse
ringraziare, to thank
ripetere, to repeat
riservare, to reserve
riso (pl., risi—m.), rice
riso (pl., risa—f.), laughter
risotto, rice dish
rispondere, to answer, reply

risposta, answer
ristorante (m.), restaurant
riunire, to assemble
riva, shore
rivedere, to see again
La Riviera, Riviera
Riviera di Levante, eastern Riviera
Riviera di Ponente, western Riviera
rivista, magazine
Roma, Rome
romanesco, Roman style
romano, Roman
romanzo, novel
rosa, rose
rosso, red
rotondo, round
rumore (m.), noise

S

sabato, Saturday
sabbia, sand
sala, room
sala d'aspetto, waiting-room
sala da pranzo, dining-room
sale (m.), salt
salire, to ascend
salita, ascent
salotto, drawing-room, lounge
salsa, sauce
saltare, to leap, jump
salute (f.), health
salvare, to rescue, save
sangue (m.), blood
sano, sound, healthy
santo, saint, holy
sapere, to know (a fact)
sapone (m.), soap
sapore (m.), taste
Sardegna, Sardinia
sbaglio, mistake
sbarcare, to land
scala, stair
scarpa, shoe
scatola, box
scegliere (irr.), to choose, select
scena, scene, stage
scendere, to descend
sciampagna, champagne

sciarpa, scarf
scivolare, to glide
scompartimento, compartment
(*railway*)
scrittore (*m.*), writer
scrivere, to write
scultore (*f.* -trice), sculptor,
sculptress
scuola, school
scuro, dark
scusare, to excuse
mi scusi, excuse me
se, if
sè, himself, herself, itself
secolo, century
secondo, second
sedere, sedersi, to sit
sedia, chair
sedia a sdraio, deckchair
sedici, sixteen
segno, sign, mark
seguire, to follow
sei, six
sembrare, to seem, appear
semplice, simple
sempre, always
sentiero, footpath
sentimento, sentiment
senza, without
separare, to separate
sera, evening
buona sera, good evening
servire, to serve
sessanta, sixty
sessantuno, sixty-one
sesto, sixth
seta, silk
settanta, seventy
settantuno, seventy-one
sette, seven
settembre (*m.*), September
settentrionale, northern
settentrione (*m.*), north
settimana, week
settimo, seventh
sguardo, glance
si, oneself, itself
sì, yes

Sicilia, Sicily
sicuro, safe, certain
sigaretta, cigarette
signor, Mr.
signora, madam, Mrs.; lady
signore, sir; gentleman
signorina, Miss
silenzio, silence
sinistro, left
a sinistra, to the left
situato, situated
soffiare, to blow
sogliola, sole (*fish*)
sogno, dream
sole (*m.*), sun
solito, usual
soltanto, only
somaro, donkey
sonno, sleep
sopra, on, upon
sorbire, to sip
sorella, sister
sorellina, little sister
sorpresa, surprise
sotto, under
sottopassaggio, subway
Spagna, Spain
Spagnolo, Spanish
spago, string
spalla, shoulder
spandere, to spread out
specchio, mirror
specialmente, especially
spendere, to spend
spesso, thick, frequent
spettacolo, show
spiaggia, beach
spillo, pin
spinaci (*m. pl.*), spinach
splendere, to shine
sportello, door (*carriage or taxi door*)
stagione (*f.*), season
stanco, tired
stanza, room
stanza da bagno, bathroom
stare (*irr.*), to stay, be
stato (*noun*), state
stato (*p.p.* stare), been

statua, statue
stazione (f.), station
Stefano, Stephen
stella, star
stesso, same
stile (m.), style
stirare, to press; to iron
strada, road
strega, witch
stretto, narrow
studente, studentessa, student
studiare, to study
su, on
sud, south
sugo, juice, gravy
suo, his, her
suonare, to sound, to play (instrument)
superbo, proud, superb
svago, amusement
Svizzera, Switzerland

T

tappa, halting place
tappeto, carpet, rug
tardi, late
tassì (m.), taxi
tavola, table
tazza, cup
tè (m.), tea
teatro, theatre
tedesco (pl. tedeschi), German
telefono, telephone
telegramma (m.), telegram
televisione (f.), television
temere, to fear
temperino, penknife
tempo, time
temporale (m.), storm
tenere, to hold, to keep
tenero, tender
terra, land
terzo, third
tesoro, treasure
testa, head
tetto, roof
ti, you
timido, timid
tirare, to draw

tirreno, Tyrrhenian
Torino, Turin
torre (f.), tower
Torre Pendente, Leaning Tower (Pisa)
torta, cake
Toscana, Tuscany
toscano, Tuscan
tovaglia, tablecloth
tovagliolo, serviette, napkin
tramonto, sunset
tranquillo, tranquil
traversata, crossing
tre, three
tredici, thirteen
treno, train
trenta, thirty
trentuno, thirty-one
triglia, mullet
triste, sad
troppo, too, too much
trovare, to find
trovatore, inventor, finder
tu, thou, you
tuffo, plunge, dive
tuo, thy, your
turista (m. or f.), tourist
tutto, all

U

ucello, bird
udire, to hear
udito, hearing
ufficio, office
ultimamente, lately
ultimo, last
umano, human
umore (m.), humour
undicesimo, eleventh
undici, eleven
università (f.), university
uno, one
uomo (pl. uomini), man
uovo (pl. uova), egg
usanza, custom, usage
uscita, exit
utile, useful
uva, grape, grapes

V

vacanza, vacation
vacca (*pl.* vacche), cow
vagone ristorante, dining car
(*railway*)
valido, valid
valígia, suitcase
valle (*f.*), valley
vaporetto, steamer
varietà, variety
vario, various
vaso, vase
vecchio, old
vedere (*irr.*), to see
veduta, view, vista
vela, sail
velocità (*f.*), speed
vendere, to sell
venerdì (*m.*), Friday
Venezia, Venice
ventesimo, twentieth
venti, twenty
ventitreesimo, twenty-third
vento, wind
ventuno, twenty-one
veramente, really
verde, green
verità (*f.*), truth
vero, true
versare, to pour
verso, toward
vestíbolo, hall, vestibule
vestire, to dress
vetrina, shop window
vetro, glass
vettura, carriage
vi, there; (*pers. pron.*) you, to you
via, street, road
viaggiare, to travel
viaggiatore (*m.*), passenger,
traveller
viaggio, journey

viale (*m.*), avenue
vicino, near
vietato, forbidden
vigna, vineyard
villa, country house, villa
villaggio, village
vincere, to win, overcome
vino, wine
violetta, violet
violinista (*m.* or *f.*), violinist
violino, violin
virtù (*f.*), virtue
visíbile, visible
vísita, visit
visitare, to visit
viso, face
vista, view, sight
vivace, lively
vívere, to live
vivo, alive, lively
voce (*f.*), voice
voglia, desire, longing
voi, you
volere, to want
volta, time, turn
   una volta, once
   due volte, twice
voltare, to turn
volume (*m.*), volume
vostro, your, yours
vuoto, empty

Z

zanzara, mosquito
zero, zero
zia, aunt
zio, uncle
zitto, silent
zoccolo, wooden shoe, clog
zucchero, sugar
zucchino, vegetable marrow

ENGLISH-ITALIAN VOCABULARY

A

about, circa
address, indirizzo
admire, ammirare
Adriatic, Adriatico
aeroplane, aeroplano
after, dopo
afternoon, pomeriggio
afterwards, poi
again, di nuovo, ancora
age, età
agitated, agitato
air, aria
allow, permettere
almost, quasi, circa
alphabet, alfabeto
Alps, Alpi (f. pl.)
already, già
also, anche, pure
always, sempre
amuse, divertire
amusement, svago, divertimento
ancient, antico
and, e, ed
Andrew, Andrea
anglican, anglicano
animal, animale (m.)
ankle, caviglia
Ann, Anna
answer, rispondere (vb.); risposta (noun)
Anthony, Antonio
anxious, ansioso
any, alcuno, qualche
appear, sembrare
appetite, appetito
apple, mela
apply, applicare
apricot, albicocca
April, aprile (m.)
arcade, galleria
arm, braccio (f. pl. braccia)

armchair, poltrona
around, intorno
arrival, arrivo
arrive, arrivare
art, arte (f.)
article, articolo
as, così
ascend, salire
ascent, salita
ash, cenere (f.)
ask, domandare, chiedere
assemble, riunire
at, a, ad
attentively, attentamente
audacity, audacia
August, agosto
aunt, zia
Austria, Austria
automobile, automobile (f.)
autumn, autunno
avenue, viale (m.)
avoid, evitare

B

baby, bambino
bad, cattivo
badly, male
baker, panettiere, fornaio
balcony, balcone (m.)
banana, banana
bank, banca
baptistry, battistero
bar, bar (m.)
basilica, basilica
basket, cestino
bath, bagno
bathroom, stanza da bagno
be, essere
be able, potere
beach, spiaggia
beautiful, bello
become, diventare

bed, letto
bedroom, camera
beef, manzo
beefsteak, bistecca
beer, birra
behind, dietro
Belgium, Belgio
believe, credere
bell, campana
bell tower, campanile (*m.*)
Berlin, Berlino (*f.*)
better, migliore (*adj.*); meglio (*adv.*)
between, fra, tra
bicycle, bicicletta
big, grande
bill, conto
bird, uccello
birthday, compleanno
biscuit, biscotto
bitter, amaro
black, nero
blond, biondo
blood, sangue (*m.*)
blow (*vb.*), soffiare
blue, azzurro
blue (*pale*), celeste
boat, barca
boiled, boiled meat, lesso
bone, osso
book, libro
both, tutti e due
bottle, bottiglia
box, scatola
boy, ragazzo
brass, ottone (*m.*)
bread, pane (*m.*)
bread-roll, panino
bracelet, braccialetto
breakfast, prima colazione
breathe, respirare
brick, mattone (*m.*)
bridge, ponte (*m.*)
Bridge of Sighs, Ponte dei Sospiri
brief, breve
bring, portare
broth, brodo
brother, fratello
brother-in-law, cognato

brown, bruno
build, edificare, costruire
building, edificio, edifizio
busy, occupato
but, ma
butcher, macellaio
butcher's shop, macelleria
butter, burro
butterfly, farfalla
buy, comprare
by, da, per
Byzantine, bizantino

C

cabbage, cavolo
cabin, cabina
cake, torta
calendar, calendario
calf, vitello
call, chiamare
calm, calmo
camera, macchina fotografica
canal, canale (*m.*)
capital, capitale (*f.*)
cardinal, cardinale
carnation, garofano
carpet, tappeto
carriage, carrozza
carry, portare
castle, castello
cat, gatto
catch, prendere, pigliare
Cathedral, Cattedrale (*f.*), Duomo
Catherine, Caterina
catholic, cattolico
cause, causa
celebrate, celebrare
celebration, celebrazione (*f.*)
central, centrale
century, secolo
certain, certo
chair, sedia
chalk, gesso
chambermaid, cameriera
champagne, sciampagna
change, cambiare (*vb.*); cambio (*noun*)
Channel (English), Manica

chapel, cappella
chapter, capitolo
Charles, Carlo
charming, incantevole
chauffeur, autista (*m.* and *f.*)
cheek, guancia
cheese, formaggio
chemist, farmacista (*m.* and *f.*)
chemist's shop, farmacia
cheque, assegno
cherry, ciliegia
chestnut, castagna, marrone (*m.*)
chew, masticare
chick, pulcino
chicken, pollo
child, bambino, fanciullo
chin, mento
china, porcellana
chocolate, cioccolata
choose, scegliere
Christmas, Natale (*m.*)
church, chiesa
cigarette, sigaretta
cinema, cinema (*m.*), cinematografo
class, classroom, classe (*f.*)
clean, pulire
clearly, chiaramente
climate, clima (*m.*)
clog (*wooden shoe*), zoccolo
close, chiudere (*vb*); vicino (*adv.*)
closed, chiuso
clothes, abiti, vestiti (*m. pl.*)
cloud, nuvola
coach, vagone (*m.*), carrozza
coast, costa
coat, abito, giacca
cock, gallo
coconut, noce (*f.*) di cocco
cod, merluzzo
coffee, caffè (*m.*)
cold, freddo (*adj.*); raffreddore (*m.*)
collar, colletto
Colosseum, Colosseo
colour, colore (*m.*)
column, colonna
comfortable, comodo
commence, cominciare
communication, comunicazione (*f.*)

compartment, scompartimento
complete, completare
consist, consistere
continent, continente (*m.*)
continually, continuamente
converse, conversare
cook (*vb.*), cucinare
cooked, cotto
cool, fresco
corner, angolo
cost, costare
costume, costume (*m.*)
cotton, cotone (*m.*)
country, campagna
court, corte (*f.*), cortile (*m.*)
cousin, cugino
cover, coprire
cow, mucca, vacca
cream, panna, crema
cross, croce (*f.*); attraversare (*vb.*)
crossing, traversata
cry, lacrimare, piangere
cup, tazza
cupboard, armadio
curiosity, curiosità (*f.*)
custom, usanza
customs, dogana
customs officer, doganiere (*m.*)

D

daddy, babbo
dairy, latteria
daisy, margheritina
dance, ballare
dare, osare
daring, audacia
dark, scuro
daughter, figlia
daughter-in-law, nuora
day, giorno
dear, caro
December, dicembre (*m.*)
decide, decidere
deck, ponte (*m.*), coperta
deckchair, sedia a sdraio
deep, profondo
definite, definito

delicious, delightful, delizioso,
  incantevole
departure, partenza
descend, scendere
desk, banco, scrivania
dictate, dettare
dictation, dettato
dictionary, dizionario
die, morire
different, differente
difficult, difficile
dine, pranzare
dining car, vagone ristorante (*m.*)
dining-room, sala da pranzo
dinner, pranzo
direction, direzione (*f.*)
disappointed, deluso
distance, distanza
distant, lontano, distante
district, quartiere (*m.*)
disturb, disturbare
disturbance, disturbo
divide, dividere
do, fare; see also p. 44, Note
doctor, medico
dog, cane (*m.*)
doll, bambola
dome, cupola
donkey, ciuco, asino, somaro
door, porta
door (*carriage*), sportello
draw, tirare
dream, sogno
dress, vestire (*vb.*); abito, veste (*f.*)
  (*noun*)
drink, bere (bevere) (*vb.*); bibita,
  bevanda (*noun*)
dry, arido, secco
duck, anitra
dumpling, gnocco

E

each, ciascuno
each one, ognuno
ear, orecchio
early, di buon'ora
east, est, oriente (*m.*)
Easter, Pasqua

eastern, orientale
eastern Riviera, Riviera di Levante
easy, facile
eat, mangiare
egg, uovo
eight, otto
eighteen, diciotto
eighth, ottavo
eighty, ottanta
either, o
either ... or, o ... o
elbow, gomito
electric, elettrico
elegant, elegante
eleven, undici
eleventh, undicesimo
Elizabeth, Elisabetta
empty, vuotare (*vb.*); vuoto (*adj.*)
enchanting, incantevole
end, fine (*f.*)
enemy, nemico
England, Inghilterra
English, Inglese (*m.* and *f.*); inglese
  (*adj.*)
enjoy, godere
enter, entrare
entrance, entrata, ingresso
entrance hall, atrio
envelope, busta
Epiphany, Epifania
era, epoca, era
erase, cancellare
especially, specialmente
etcetera, eccetera (ecc.)
eternal, eterno
Europe, Europa
even, perfino
evening, sera
every, ogni
everyone, ognuno
everywhere, dappertutto
exaggerate, esagerare
example, esempio
excited, eccitato
excursion, gita, escursione (*f.*)
excuse, scusare
exercise book, quaderno
exhibition, mostra

exit, uscita
exterior, esterno
eye, occhio
eyelash, ciglio

F

façade, facciata
face, faccia, viso
factory, fabbrica
fall, cadere
family, famiglia
fantastic, fantastico
far, lontano
farm, podere (m.)
fast, rapido
father, padre
favour, favore (m.)
fear, temere (vb.); paura (noun)
feast, festa
February, febbraio
fertile, fertile
field, campo
fifteen, quindici
fifth, quinto
fifty, cinquanta
final, finale
find, trovare, trovarsi
finger, dito (f. pl. dita)
finish, finire
fire, fuoco
first, primo
fish, pesce (m.)
fishmonger, pescivendolo
five, cinque
flask, fiasco, fiaschetto
floor, piano, pavimento
Florence, Firenze (f.)
flower, fiore (m.)
fly, mosca
fog, nebbia
follow, seguire
food, cibo
foot, piede (m.)
footpath, sentiero
for, per
forbidden, vietato, interdetto
forehead, fronte (f.)
foreigner, forestiero, straniero

forest, bosco, foresta
forget, dimenticare
fork, forchetta
forty, quaranta
forum, foro
fountain, fontana
four, quattro
fourteen, quattordici
fourth, quarto
France, Francia
Francis, Francesco
free, libero
French, Francese (noun)
French bean, fagiolino
frequent, spesso
fresh, fresco
Friday, venerdì (m.)
fried, fritto
friend, amico
from, da
fruit, frutta
fruiterer, fruttivendolo
fruit salad, macedonia di frutta
full, pieno
future, futuro, avvenire (m.)

G

gallery, galleria
garden, giardino
gay, gaio
general, generale
generosity, generosità (m.)
Genoa, Genova
gentle, gentile
George, Georgio
Germany, Germania
German, Tedesco (noun)
girl, ragazza
give, dare
glad, contento
glance, sguardo
glass, vetro
glass (drinking), bicchiere (m.)
glide, scivolare
glove, guanto
go, andare
gold, oro
goldsmith, orefice (m.)

gondola, gondola
gondolier, gondoliere (*m.*)
good, buono
good! splendid! bravo!
goodbye, arrivederci; ciao (*colloq.*)
goose, oca
Gothic, gotica
grammar, grammatica
Grand Canal, Canal Grande (*m.*)
grandfather, nonno
grandmother, nonna
grape, uva
great, grande
green, verde
guard, conduttore (*m.*)
guide, guidare (*vb.*); guida (*f.*) (*noun*)

H

hair, capello
half, mezzo (*adj.*); metà (*f.*) (*noun*)
hall, vestibolo
ham, prosciutto
hand, mano (*f.*)
handkerchief, fazzoletto
harbour, porto
hat, cappello
have, avere
he, egli, lui, esso
head, capo, testa
health, salute (*f.*)
hear, udire
hearing, udito
heart, cuore (*m.*)
heavy, pesante
help, aiutare
hen, gallina
Henry, Enrico
her, lei, la, (*pron.*); suo (sua, sue, suoi) (*adj.*)
here, qui, qua, ci, vi
here is, ecco
herself, sè, essa, stessa, lei stessa
high, alto
hill, collina
him, lo, lui
himself, sè, egli stesso, lui stesso
hire, impegnare
his, suo (sua, suoi, sue)

hold, tenere
holy, santo
honest, onesto
hope, sperare (*vb.*); speranza (*noun*)
horse, cavallo
hot, caldo
hotel, albergo
hour, ora
house, casa
house (*country*), villa
how, come
however, però
how much (many)? quanto (quanti, -e)?
human, umano
humour, umore (*m.*)
hundred, cento
hungry, to be, aver fame, appetito
husband, marito

I

I, io
ice, ghiaccio
ice-cream, gelato
idea, idea
idle, ozioso
if, se
illuminated, illuminato
imitate, imitare
immense, immenso
important, importante
impression, impressione (*m.*)
in, in
incite, incitare
incitement, incitamento
indeed, infatti
industry, industria
inform, informare
information, informazione (*f.*)
inhabitant, abitante (*m.* and *f.*)
ink, inchiostro
inside, dentro
inspection, controllo
inspector, controllore (*m.*)
install, installare
interesting, interessante
interior, interno
invite, invitare

iron, stirare
is, è
island, isola
it, esso, essa, lo, la
  of it, ne
Italian, Italiano (*noun*); italiano
  (*adj.*)
Italy, Italia
itinerary, itinerario
itself, si, sè, stesso (a)

J

jacket, giacca
jam, marmellata
James, Giacomo
January, gennaio
jeweller, gioielliere (*m.*)
jockey, fantino
John, Giovanni
Joseph, Giuseppe
journey, viaggio
joy, gioia
Jugoslavia, Iugoslavia
juice, sugo
July, luglio
jump, saltare
June, giugno
just, giusto

K

keep, conservare, tenere
key, chiave (*f.*)
kind, gentile
king, re (*m.*)
kiss, baciare (*vb.*); bacio (*noun*)
kitchen, cucina
knee, ginocchio
knife, coltello
know (*fact*), sapere
know (*acquaintance*), conoscere

L

lake, lago
lamb, agnello
lamp, lampada
land, sbarcare (*vb.*); terra (*noun*)
landscape, paesaggio
language, lingua

large, grande
last, durare (*vb.*); ultimo (*adj.*)
late, tardi
lately, ultimamente
laugh, ridere
lazy, ozioso, pigro
leaf, foglia
leaning, pendente
leap, saltare
learn, imparare
leather, pelle (*f.*), cuoio
leave, lasciare, partire
left, sinistro (*adj.*)
leg, gamba
lemon, limone (*m.*)
lemonade, limonata
lemon squash, (una) spremuta di
  limone
lend, prestare
less, meno
lesson, lezione (*f.*)
let, affittare, lasciare
letter, lettera
library, biblioteca
life, vita
lift, ascensore (*m.*)
light, luce (*f.*), lume (*m.*) (*noun*);
  leggero (*adj.*)
lily, giglio
limb, membro (*f. pl.* membra)
limpid, limpido
lip, labbro (*pl.* labbra)
liquor, liquore (*m.*)
listen, ascoltare
literature, letteratura
little, piccolo (*adj.*); poco (*adv.*)
live (*dwell*), abitare
local, locale
London, Londra
long, lungo
long (*for*), bramare
look (*at*), guardare
look (*for*), cercare
lose, perdere
loss, perdita
Louis, Luigi
lounge, salotto
love, amare (*vb.*); amore (*m.*) (*noun*)

low, basso
luggage, bagaglio
luggage rack, rete (*f.*)
lunch, colazione (*f.*)
lung, polmone (*m.*)

M

machine, macchina
Madam (Mrs.), signora
magazine, rivista
magnificent, magnifico
major, maggiore
make, fare
Mamma, mamma
man, uomo
manner, modo
mansion, palazzo
map, carta geografica
marble, marmo
March, marzo
Margaret, Margherita
Marius, Mario
mark (*sign*), segno
Mark, Marco
market, mercato
marmalade, marmellata
marrow (*vegetable*), zucchino
Martin, Martino
marvel, meraviglia
Mary, Maria
mass, messa
master, maestro
masterpiece, capolavoro
match, cerino
May, maggio
me, mi, me
meadow, prato
meantime, meanwhile, intanto
meat, carne (*f.*)
medicine, medicina
medieval, medioevale
Mediterranean, Mediterraneo
meet, incontrare
melody, melodia
melon, melone (*m.*)
metal, metallo
Michael, Michele
midday, mezzogiorno

middle, medio
midnight, mezzanotte (*f.*)
Milan, Milano (*f.*)
mild, mite
mile, miglio
milk, latte (*m.*)
million, milione (*m.*)
mine, mio (mia, miei, mie)
mint, menta
minute, minuto
miracle, miracolo
mirror, specchio
Miss, signorina
mistake, sbaglio
mobile, mobile
modern, moderno
Monday, lunedì (*m.*)
money, denaro, danaro
month, mese (*m.*)
moon, luna
more, più
morning, mattina
motorboat, motoscafo
mosaic, mosaico
mosquito, zanzara
mother, madre (*f.*)
mountain, montagna, monte (*m.*)
mouth, bocca
Mr., Signor, il signor . . .
much, molto
mule, mulo
mullet, triglia
museum, museo
musical, musicale
my, mio (mia, miei, mie)
myself, mi, me stesso(-a)
mysterious, misterioso

N

name, nome (*m.*)
namely, cioè
Naples, Napoli
narrate, narrare
narrow, stretto
natural, naturale
naughty, cattivo
near, vicino
neck, collo

need, aver bisogno di (*vb.*); bisogno (*noun*)
net, rete (*f.*)
new, nuovo
newsagent, giornalaio
newspaper, giornale (*m.*)
next, venturo, prossimo (*adj.*); poi (*adv.*)
night, notte (*f.*)
nine, nove
nineteen, diciannove
ninety, novanta
ninth, nono
no, no
noise, rumore (*m.*)
north, nord, settentrione (*m.*)
northern, settentrionale
nose, naso
not, non; **not any,** nessuno (-a)
note, notare
nothing, niente, nulla (*m.*)
novel, romanzo
November, novembre (*m.*)
now, ora, adesso
  by now, oramai
number, numero
numerous, numeroso
nut, noce (*f.*)
nylon, nailon (*m.*)

O

oak, quercia
object, oggetto
observe, osservare
obtain, ottenere
occasion, occasione (*f.*)
October, ottobre (*m.*)
of, di; see also p. 61
offer, offrire
office, ufficio
oil, olio
old, vecchio
oleander, oleandro
olive, olivo
omelette, frittata
on, sopra, su; see also p. 61
one, uno, una
oneself, si, se stesso, se stessa

onion, cipolla
only, soltanto, solo, solamente, non . . . che; see p. 127
open, aprire
or, o; **either . . . or,** o . . . o
orange, arancia
orangeade, aranciata
orchestra, orchestra
order, ordinare
ordinal, ordinale
original, originale
other, altro
otherwise, altrimenti
our, nostro
outside, fuori
own, proprio
ox, bue
oxen, buoi

P

Padua, Padova
page, pagina
pain, pena, dolore (*m.*)
painter, pittore (*m.*)
painting, pittura
pair, paio
palace, palazzo
palm, palma
panorama, panorama
paper, carta
paradise, paradiso
parcel, pacco
parent, genitore (*m.*)
Paris, Parigi (*f.*)
park, parco
Parmesan, parmigiano
parrot, pappagallo
part, parte (*f.*)
particular, particolare
pass, passare
passage, corridoio
passenger, passeggiero, viaggiatore (*m.*)
passport, passaporto
past, passato, scorso
paste (*dough*), pasta
patient, paziente
Paul, Paolo

pavement, pavimento
paw, zampa
pay, pagare
pea, pisello
peach, pesca
pear, pera
peasant, contadino
pen, penna
pencil, matita
peninsula, penisola
penknife, temperino
people, gente (f.)
pepper, pepe (m.)
perfect, perfetto
perfume, profumo
perhaps, forse
permission, permesso
permit, permettere
person, persona
personal, personale
Peter, Pietro
petrol, benzina
photograph, fotografia
piano, pianoforte (m.)
pianist, pianista (m. and f.)
picture, quadro
piece, pezzo
pier, molo
pig, maiale, porco
pillow, guanciale (m.)
pin, spillo
pinewood, pineta
pipe, pipa
place, mettere (vb.); luogo, posto
 (noun)
placid, placido
plant, pianta
plate, piatto
platform, marciapiede (m.), banchina
play (games), giocare
pleasant, piacevole
please, per piacere, per favore
pleased, contento
poet, poeta (m.)
poor, povero
poppy, papavero
porcelain, porcellana
porter, facchino

portion, porzione (f.)
position, posizione (f.)
possible, possibile
post, posta
postcard, cartolina
potato, patata
pour, versare
practical, pratico
precious, prezioso
precise, preciso
prefer, preferire
prepare, preparare; (get ready)
 prepararsi
present, presentare (vb.); presente
 (adj.)
present (gift), regalo, dono
press, stirare
price, prezzo
principal, principale
probable, probabile
proceed, procedere
professor, professore (m.),
 professoressa (f.)
profound, profondo
programme, programma (m.)
progress, progresso
pronounce, pronunziare
proud, superbo
prove, provare
proverb, proverbio
province, provincia
public, pubblico
pulpit, pulpito
pupil, alunno (-a)
put, mettere
pyramid, piramide (f.)

Q

quay, molo
queen, regina
question, domanda
queue, fila, coda
quick, presto
quite, assai

R

rabbit, coniglio
race, corsa

radio, radio (*f.*)
railway, ferrovia
railway-line, binario
rain, pioggia
raise, alzare; (*get up*) alzarsi
rare, raro
raspberry, lampone (*m.*)
raw, crudo
reach, raggiungere
read, leggere
ready, pronto
really, veramente
reason, ragione (*f.*)
receive, ricevere
recognise, riconoscere
red, rosso
refuse, rifiutare
region, regione (*f.*)
relate, raccontare
relative, parente (*m.* and *f.*)
remain, restare
repeat, ripetere
reply, rispondere
represent, rappresentare
rescue, salvare
reserve, riservare
resist, resistere
rest, riposare
restaurant, ristorante (*m.*)
retain, conservare
Rialto Bridge (Venice), Ponte di Rialto
rice, riso
rich, ricco
right, destro
ring, suonare (*vb.*); anello (*noun*)
river, fiume (*m.*)
road, via, strada
roast, arrosto
Robert, Roberto
Roman, romano
Rome, Roma
roof, tetto
room, sala, stanza
rose, rosa
round, rotondo
row, remare (*vb.*); fila (*noun*)
rug, tappeto

S

sad, mesto, triste
safe, sicuro
sail, vela
saint, santo
salad, insalata
salt, sale (*m.*)
same, stesso
sand, sabbia
Sardinia, Sardegna
satisfied, contento
Saturday, sabato
sauce, salsa
saucer, piattino
save, salvare
say, dire
scarf, sciarpa
scene, scena
school, scuola
sculptor, scultore (*m.*)
sea, mare (*m.*)
seashore, marina
season, condire (*vb.*); stagione (*f.*, *noun*)
second, secondo
see, vedere
seem, sembrare
select, scegliere
sell, vendere
send, mandare
sentence, frase (*f.*)
sentiment, sentimento
separate, separare
September, settembre (*m.*)
servant, domestico
serve, servire
serviette, tovagliolo
seven, sette
seventeen, diciassette
seventh, settimo
seventy, settanta
several, parecchi, parecchie
shade, ombra
she, ella, essa, lei
sheet, lenzuolo
sheet of paper, foglio
shine, splendere, brillare
ship, nave (*f.*)

shoe, scarpa
shop, negozio, bottega
shore, riva
short, corto, breve
shoulder, spalla
shout, gridare
show, mostrare (*vb.*): spettacolo
  (*noun*)
Sicily, Sicilia
sick, ammalato, malato
sideboard, credenza
sigh, sospiro
sign, segno
silence, silenzio
silk, seta
silver, argento
simple, semplice
sing, cantare
sip, sorbire
sister, sorella
sister-in-law, cognata
sit, sedere, sedersi
situated, situato
six, sei
sixteen, sedici
sixth, sesto
sixty, sessanta
skin, pelle (*f.*)
sky, cielo
sleep, dormire (*vb.*); sonno (*noun*)
slow, lento
slow down, rallentare
small, piccolo
smell, odorare (*vb.*); odore (*noun*)
smoke, fumare
snow, nevicare (*vb.*); neve (*f., noun*)
so, così
soap, sapone (*m.*)
sole (*fish*), sogliola
some, alcuno (-a, -i, -e); qualche
son, figlio
son-in-law, genero
soon, presto
sound, suonare, sonare (*vb.*);
  suono (*noun*)
south, sud, mezzogiorno
southern, meridionale
souvenir, ricordo

Spain, Spagna
Spanish, spagnolo
speak, parlare
spectacles, occhiali
speed, velocità (*f.*)
spend, spendere (*money*); passare
  (*time*)
spinach, spinaci (*m. pl.*)
spire, guglia
splendid! bravo!
spoon, cucchiaio
spring, primavera
square (*geometrical*), quadrato
square, piazza
stage, scena
stair, scala
stamp, francobollo
star, stella
state, stato
station, stazione (*f.*)
station master, capostazione (*m.*)
statue, statua
stay, stare (*vb.*); soggiorno (*noun*)
steamer, vaporetto, piroscafo
Stephen, Stefano
still, ancora
stocking, calza
stone, pietra
stop, fermare, fermarsi (*vb.*);
  fermata (*noun*)
storey, piano
storm, temporale (*m.*)
story, narrazione (*f.*), racconto
straw, paglia
strawberry, fragola
street, via
string, spago
strong, forte
student, studente (*m.*), studentessa
  (*f.*)
study, studiare (*vb.*); studio (*noun*)
style, stile, moda (*dress*)
subway, sottopassaggio
sugar, zucchero
suitcase, valigia
summer, estate (*f., noun*); estivo
  (*adj.*)
sun, sole

sunburnt, abbronzato
Sunday, domenica
sunset, tramonto
supper, cena
sure, certo
surprise, sorpresa
sweet, dolce
swim, nuotare (*vb.*); nuotata (*noun*)
swimming pool, piscina
swimsuit, costume de bagno
Switzerland Svizzera

T

table, tavola
tablecloth, tovaglia
tail, coda
take, prendere, pigliare
tale, narrazione (*f.*), novella
tall, alto
tanned, abbronzato
taste, sapore (*m.*), gusto
taxi, tassì (*m.*)
tea, tè (*m.*)
teach, insegnare
tear, lacrima
teaspoon, cucchiaino
telegram, telegramma (*m.*)
telephone, telefono
television, televisione (*f.*)
ten, dieci
tender, tenero
tenth, decimo
thank, ringraziare
thanks, ringraziamenti (*m. pl.*)
that, che, ciò, quello
that is to say, cioè
the, l', il, la, lo, i, le, gli
theatre, teatro
themselves, si, sè, se stessi, se stesse
then, allora, poi, dunque
there, là, lì, vi
therefore, dunque, perciò
they, loro, essi (-e)
thick, spesso, denso
thief, ladro
thing, cosa
think, pensare

third, terzo
thirteen, tredici
thirty, trenta
this, questo (*adj.*); ciò (*pron.*)
thou, tu
thought, pensiero
thousand, mille (*m.*) (*pl.* mila)
thread, filo
three, tre
throat, gola
through, per, attraverso
throw, buttare
Thursday, giovedì (*m.*)
thus, così
thy, tuo (tua, tue, tuoi)
ticket, biglietto
tie, cravatta
time, tempo, volta
timetable, orario
timid, timido
tired, stanco
to, a, ad
toast, brindare (*vb.*); brindisi (*m.*)
    (*noun*)
today, oggi
toffee, caramella
together, insieme
tomato, pomodoro
tomorrow, domani
tongue, lingua
too anche
tooth, dente (*m.*)
tour, girare (*vb.*); giro, gita (*noun*)
touring car, torpedone (*m.*)
tourist, turista (*m. and f.*)
toward, verso
towel, asciugamano
tower, torre (*f.*)
town, città (*f.*)
town hall, municipio
train, treno
tranquil, tranquillo
traveller, viaggiatore (*m.*);
    (*f.* -trice)
treasure, tesoro
tree, albero
true, vero
truth, verità (*f.*)

Tuesday, martedì (*m.*)
tumbler, bicchiere (*m.*)
tunnel, galleria
Turin, Torino
Tuscan, toscano
Tuscany, Toscana
twelve, dodici
twentieth, ventesimo
twenty, venti
two, due
Tyrrhenian, Tirreno

U

ugly, brutto
umbrella (*large*), ombrellone (*m.*)
uncertain, incerto
uncle, zio
under, sotto
understand, capire
ungrateful, ingrato
university, università (*f.*)
upon, sopra
us, ci, noi
useful, utile
usual, solito
usually, di solito

V

vacant, libero
vacation, vacanza
valid, valido
valley, valle (*f.*)
variety, varietà (*f.*)
various, vario
vase, vaso
veal, vitello
vegetable, legume (*m.*), verdura
Venice, Venezia
very, molto, assai
very good, ottimo
vestibule, vestibolo
Victor, Vittorio
view, veduta, vista
village, villaggio
vinegar, aceto
vineyard, vigna
violet, violetta
violinist, violinista (*m.* and *f.*)

visible, visibile
visit, visitare (*vb.*); visita (*noun*)
vivid, vivo
voice, voce (*f.*)
volume, volume (*m.*)

W

wait, aspettare
waiter, cameriere (*m.*)
waiting room, sala d'aspetto
waitress (*maid*), cameriera
walk, camminare, passeggiare (*vb.*); passeggiata (*noun*)
wall, muro, parete (*f.*)
want, volere, desiderare (*vb.*); bisogno (*noun*)
wardrobe, armadio
wash, lavare
watch, orologio
water, acqua
watermelon, cocomero
wave, onda
wax, cera
way, modo
we, noi
weak, debole
wealth, ricchezza
Wednesday, mercoledì (*m.*)
week, settimana
weep, lacrimare, piangere
welcome, gradito (*adj.*); benvenuto (*noun*)
well, pozzo (*noun*); bene (*adv.*); sano (*adj.*)
west, ovest (*m.*); occidente (*m.*); ponente (*m.*)
western, occidentale
western Riviera, Riviera di Ponente
what, that which, che cosa, che, quale, quello che, ciò che
where, dove
which, che, cui, quale?
while, mentre
white, bianco
who, chi? che, cui
whom, chi? che, cui
whose, di chi? a chi?
why, perchè

wide, largo
wife, moglie, sposa
William, Guglielmo
wind, vento
window, finestra
window (*small*), finestrino
wine, vino
winter, inverno
wish, volere (*vb.*); augurio (*pl.* auguri) (*noun*)
witch, strega
with, con
within, dentro
without, senza
woman, donna
wonderful, meraviglioso
wood (*forest*), bosco, foresta
wood (*firewood*), legno, legna
wool, lana
word, parola
work, lavorare (*vb.*); opera, lavoro (*noun*)
workman, operaio
world, mondo

wrist, polso
write, scrivere
writer, scrittore (*m.*)

Y

year, anno
yearn, bramare
yearning, bramo
yellow, giallo
yes, sì
yesterday, ieri
yet, ancora
you, Lei, Loro, tu, ti, te, vi, voi
young, giovane
your, Suo, tuo, vostro, Loro
yours truly, vostro (Suo) devotissimo (*abb.* devmo)
youth, giovane (*m.*); giovanotto, giovinezza

Z

zero, zero
zone, zona

INDEX